KB076070

프랑스 샹송 가사와 어법해설

프랑스 샹송 가사와 어법해설

발　행 | 2024년 6월 17일
저　자 | 김형진
펴낸이 | 한건희
펴낸곳 | 주식회사 부크크
출판사등록 | 2014.07.15.(제2014-16호)
주　소 | 서울특별시 금천구 가산디지털1로 119 SK트윈타워 A동 305호
전　화 | 1670-8316
이메일 | info@bookk.co.kr

ISBN | 979-11-410-8829-3

www.bookk.co.kr

프랑스 샹송 가사와 어법해설

김형진 지음

CONTENT

◆프랑스어의 연음규칙

단어 사이의 발음을 부드럽게 연결하기 위해 사용되는 발음 현상이다. 연음(liaison 리애종)은 일반적으로 앞 단어가 자음으로 끝나고 다음 단어가 모음으로 시작할 때 발생한다.

반드시 지켜야할 필수 연음 (Liaisons Obligatoires)

정관사와 명사:
les amis [lez‿ami 레자미] (그 친구들),
un ami [œ̃‿nami 왜나미] (한 친구)
대명사와 동사:
nous avons [nu‿zavɔ 누자봉] (우리는 가지고 있다)
ils ont [il‿zɔ 일죵] (그들은 가지고 있다)
전치사와 명사:
en été [ɑ̃‿nete 엉네떼] (여름에)
sous un arbre [su‿z‿ɛ̃‿naʁbʁ 수장나흐브흐] (나무 아래에)

해도되고 안해도 되는 허용된 연음 (Liaisons Facultatives)

형용사와 명사 사이:
des garçons intelligents
[de gaʁsɔ̃‿z‿ɛ̃teliʒɑ̃ 데 갸흐쏭쟝뗄리죵] (똑똑한 소년들)

부사와 형용사 사이:
très intéressant [tʁɛ‿z‿ɛ̃teʁesɑ 트헤장떼헤썽]
(매우 흥미로운)

◆프랑스어에서 "앙센느망" (**enchaînement**)은 단어의 마지막 자음이 다음 단어의 첫 모음과 연결되어 발음되는 현상이다. 이는 연음 (**liaison**)과 유사하지만, 몇 가지 중요한 차이점이 있다.

앙센느망의 특징.
자연스러운 발음 연결:
앙센느망은 문장에서 단어를 자연스럽게 연결하기 위해 사용된다. 마지막 자음이 항상 발음되는 상황에서 발생한다.

항상 발생:
특정 문법적 규칙에 구애받지 않고 언제나 일어난다.

명확한 자음 발음:
마지막 자음이 다음 단어의 첫 모음과 함께 발음된다.
예를 들어, **avec elle**에서 **avec**의 **c**는 **elle**의 **e**와 함께 **[avek‿ɛl** 아붸캘**]**로 발음된다.
c'est une idée (그것은 아이디어다) → **[sɛ.tyn‿ide** 세뛰니데**]**
vous avez (당신은 가지고 있다) → **[vu.z‿ave** 부자붸**]**

◆프랑스어의 시제(le temps)

과거 : 반과거(imparfait) 복합과거(passé composé), 단순과거(passé simple)
현재 : 현재(present), 현재 진행(progressif présent)
미래 : 근접미래(futur proche), 단순미래(futur simple)

과거시제의 종류-반과거/복합과거/단순과거

일상생활에서는 반과거와 복합과거를 사용하며, 단순과거는 문헌에서만 사용된다.
반과거와 복합과거만 알아도 일상생활에선 지장이 없다고 한다.

반과거와 복합과거의 차이.

반과거는 과거에 있는 일을 묘사할 뿐, 현재에 영향이 있고 없고는 고려하지 않는다.
과거를 표현할 때, 대부분의 경우 복합과거를 쓰고, 묘사나 습관은 반과거를 쓴다.

1 Il est trop tard

일레 트호 따흐/이제 너무 늦었어

Georges Moustaki (조르주 무스타키, 1934-2013)

①Pendant que je dormais
펑덩 끄 즈 도흐매
나 잠자는 동안에
②Pandant que je rêvais
펑덩 끄 즈 헤뵈
나 꿈꾸는 동안에
③Les aiguilles ont tourné
레재귀어 옹 뚜어네
시간은 지나갔네
④il est trop tard
일레 트호 따흐
이제 너무 늦었네
⑤Mon enfance est si loin,
모넝펑 세 시 루앙
내 어린 날 이미 멀어져
⑥il est déjà demain
일레 데자 더멍
벌써 내일이
⑦Passe passe le temps,
빠쓰파 쓰르 떵
시간은 재빨리 지나가고
⑧il n'y en a plus pour très longtemps

일 니엉아 쁠위뿌어 트헤 롱터엉
남은 시간 별로 없네

⑨Pendant que je t'aimais
펑덩 끄 즈 때매
나 그대 사랑한 동안

⑩pendant que je t'avais
펑덩 끄 즈 따뵈
나 그대를 가진 동안

⑪L'amour s'en est allé
라무어 썽 에딸레
사랑은 떠나버리고

il est trop tard
일레 트호 따흐
이제 너무 늦었네

⑫Tu étais si jolie
뛰 에때 씨 졸리
그대 그토록 어여뻐

⑬je suis seul dans mon lit
즈 쉬 쎌 덩 몽 리
난 홀로 누었네

Passe passe le temps,
빠쓰파 쓰르 떵
시간은 재빨리 지나가고

il n'y en a plus pour très longtemps
일 니엉아 쁠위뿌어 트헤 롱터엉
남은 시간 별로 없네

⑭Pendant que je chantais ma chère liberté
펑덩 끄 즈 셩때 마 쉐어 리베르때
나 내 귀한 자유를 노래할 때

⑮D'autres l'ont enchaînée
도오트흐 롱 떵쉐네
남이 데려가 버렸네
il est trop tard
일레 트호 따흐
이제 너무 늦었네
⑯Certains se sont battus
쎄흐떵 서 쏭 바뛰
그들이 서로 싸웠다네
⑰moi je n'ai jamais su
무아즈 내 쟈메 쒸
난 전혀 알지 못했지
Passe passe le temps,
빠쓰파 쓰르 떵
시간은 재빨리 지나가고
il n'y en a plus pour très longtemps
일 니엉아 쁠위뿌어 트헤 롱터엉
남은 시간 별로 없네
⑱Pourtant je vis toujours
뿌어떵 즈 뷔 뚜주흐
하지만 나 여전히 살아가고
⑲pourtant je fais l'amour
뿌어떵 즈 패 라무어
하지만 나 사랑을 하지
⑳M'arrive même de chanter sur ma guitare
마리브 멤 드 셩때 쒸흐 마 기타아
난 가끔 기타를 연주해
㉑Pour l'enfant que j'étais
뿌어 렁펑 끄 줴때
어린 나를 위해
㉒Pour l'enfant que j'ai fait

뿌어 렁펑 끄 쉐 패
내 낳은 아이를 위해
Passe passe le temps,
빠쓰파 쓰르 떵
시간은 재빨리 지나가고
il n'y en a plus pour très longtemps
일 니엉아 쁠위뿌어 트헤 롱떠엉
남은 시간 별로 없네
Pendant que je chantais
펑덩 끄 즈 셩때
내 노래 부를 동안
pendant que je t'aimais
펑덩 끄 즈 때매
나 널 사랑하는 동안
㉓Pendant que je rêvais il était encore temps
펑덩 끄 즈 헤뵈 일레때땅코흐 떵
내가 꿈꾸는 동안은 아직 시간은 있었죠

[해설]

①Pendant que je dormais
펑덩 끄 즈 도흐매
나 잠자는 동안에

Pendant que는 접속사, 두 가지 동작이 동시에 발생하는 상황을 나타낸다. **Pendant: ~**하는 동안, **~**할 때.

Je dormais, dormais는 동사 **dormir(**자다**)**의 반과거 시제, 즉 과거에 어떤 행위가 계속되고 있었음.

Je (나): 1인칭 단수 주어

Tu (너): 2인칭 단수 주어

Il (그, 그것): 3인칭 단수 주어

Elle (그녀, 그것): 3인칭 단수 주어

Nous (우리): 1인칭 복수 주어

Vous (당신, 당신들): 2인칭 복수 주어

Ils (그들, 그것들): 3인칭 복수 주어(남성형)

Elles (그녀들, 그것들): 3인칭 복수 주어(여성형)

●동사 dormir 현재 시제 (Présent) 변화:

je dors	nous dormons
tu dors	vous dormez
il/elle dort	ils/elles dorment

②Pandant que je rêvais

펑덩 끄 즈 헤뵈
나 꿈꾸는 동안에

rêvais는 동사 rêver (꿈꾸다)의 반과거 시제, 과거에 꿈을 꾸고 있었음.

●동사 rêver 현재 시제 (Présent) 변화:

je rêve	nous rêvons
tu rêves	vous rêvez
il/elle rêve	ils/elles rêvent

③Les aiguilles ont tourné

레재귀어 옹 뚜어네
시간은 지나갔네

시계 바늘이 돌았다.

여기서 **aiguilles**는 시계의 바늘, **ont tourné**은 돌았다. **ont**은 **avoir** (가지다, 취하다)의 **3**인칭 복수현재형. **ont tourné**는 동사 **tourner**(돌다)의 복합과거형.

●동사 avoir 현재시제 (Présent) 변화:

j'ai	nous avons
tu as	vous avez
il/elle a	ils/elles ont

●동사 tourner 현재시제 (Présent) 변화:

je tourne	nous tournons
tu tournes	vous tournez
il/elle tourne	ils/elles tournent

●동사 tourner 복합과거시제 (Passé composé) 변화:

j'ai tourné	nous avons tourné
tu as tourné	vous tournez
il/elle a tourné	ils/elles avez tourné

④il est trop tard

일레 트호 따흐
이제 너무 늦었네

주어 Il은 비인칭 대명사, 이, 그. 시간이나 날씨와 같은 추상적인 개념을 가리킬 때 주로 사용. est는 동사 être(있다,이다)의 3인칭 단수 현재시제. trop 너무, tard 늦은.

●동사 être 현재시제 (Présent) 변화:

je suis	nous sommes
tu es	vous êtes
il/elle/on est	ils/elles sont

⑤Mon enfance est si loin

모녕펑 세 시 루앙
내 어린 날 이미 멀어져

나의 어린 시절은 너무 멀리 떨어져 있다.

Mon enfance 나의 어린 시절, est는 동사 être의 3인칭 현재형, 이다. si loin 너무 멀리.

⑥il est déjà demain

일레 데자 더멍
벌써 내일이

이미 내일이다.

déjà 이미.

⑦Passe passe le temps

빠쓰파 쓰르 떵
시간은 재빨리 지나가고

시간이 지나간다.

passe는 동사 **passer(**지나가다**)**의 현재시제형**, le temps** 시간.

●동사 **passer** 현재시제 **(Présent)** 변화:

je passe	**nous passons**
tu passes	**vous passez**
il/elle/on passe	**ils/elles passent**

⑧il n'y en a plus pour très longtemps

일 니엉아 쁠위뿌어 트헤 롱터엉
남은 시간 별로 없네

이미 시간이 많이 남지 않았다.

Il은 비인칭 대명사**,** 동사 **n'y a plus** 더 이상 없다.

부정 표현 **n'y a plus** 더 이상 없다**,** 이미 있던 상태가 더 이상 지속되지 않음. **plus** 더 많이**,** 추가로 **(More).** 부정문에서 **plus**는 더 이상 ~않다. **pour** ~로 / ~을 위해 **(For).**

très : 매우**,** 많이 **(Very), longtemps** 오랫동안.

⑨Pendant que je t'aimais

평덩 끄 즈 때매
나 그대 사랑한 동안

je t'aimais 나는 너를 사랑했다.

Je 나, **t'aimais**는 동사 **aimer** (사랑하다) 의 과거 시제형.

여기서 **te**는 목적격 대명사, 너에게 또는 너를.

프랑스어에서는 목적어를 동사 앞에 놓는 것이 일반적.

●동사 **aimer** 현재시제 **(Présent)** 변화:

je aime	nous aimons
tu aimes	vous aimez
il/elle/on aime	ils/elles aiment

⑩pendant que je t'avais

평덩 끄 즈 따뵈
나 그대를 가진 동안

Je t'avais 나는 너에게 있었다 또는 나는 너를 가지고 있었다.

je+te+avais. J'avais는 과거 미완료 시제. 이 시제는 과거에 지속되던 상태나 행동. **J'avais**는 나는 가지고 있었다. **Je t'avais** 나는 너를 가지고 있었다.

●동사 **avoir** 반과거시제 변화:

je avais	nous avions

tu avais	vous aviez
il/elle avait	ils/elles avaient

⑪L'amour s'en est allé

라무어 썽 에딸레
사랑은 떠나 버리고

사랑이 떠났다.

L'amour 사랑, Le + amour.

s'en est allé (떠났다). s' 재귀대명사 se는 oneself / myself의 뜻. en는 여기로부터, allé는 동사 aller (가다)의 과거완료시제.

●동사 aller 현재시제 (Présent) 변화:

je vais	nous allons
tu vas	vous allez
il/elle/on va	ils/elles vont

●동사 aller 복합과거시제 (Passé composé) 변화:

je suis allé(e)	nous sommes allé(e)s
tu es allé(e)	vous êtes allé(e)(s)
il/elle/on est allé(e)	ils/elles sont allé(e)s

이 시제는 과거에 발생한 특정 동작이 완료되었음.

그/그녀는 갔다 (과거발생 단일 행동): Il/elle est allé(e)

⑫**Tu étais si jolie**
뛰 에때 씨 졸리
그대 그토록 여여쁘

당신은 너무 아름다웠어요.

주어 **Tu**는 당신. 동사 **étais**는 동사 **être**(있다, 이다)의 과거불완전시제형. **si jolie**는 너무 아름다웠어.

●동사 **être** 반과거시제 ((imparfait) 변화:

j'étais	nous étions
tu étais	vous étiez
il/elle/on était	ils/elles étaient

⑬**je suis seul dans mon lit**
즈 쉬 쎌 덩 몽 리
난 홀로 누웠네

나는 침대에서 혼자 있어요.

Je는 나, **suis**는 동사 **être**의 1인칭단수 현재형. **seul dans mon lit** 침대에서 혼자. **seul**은 혼자. **dans mon lit**는 침대에서.
현재 시점에서 나 자신이 침대에서 혼자 있다는 뜻.

⑭**Pendant que je chantais ma chère liberté**

펑덩　　ㄲ　즈 셩때　　마　쉐어 리베르때
나 내 귀한 자유를 노래할 때

je chantais ma chère liberté 나는 나의 소중한 자유를 노래했다. **chantais**는 동사 **chanter** (노래하다)의 과거형.

●동사 **chanter** 반과거시제 ((**imparfait**) 변화:

je chantais	nous chantions
tu chantais	vous chantiez
il/elle/on chantait	ils/elles chantainet

Je chantais는 나는 노래했다.

ma chère liberté는 나의 소중한 자유, **ma** 나의. **chère** 소중한, **liberté** 자유. 과거에 나는 나의 소중한 자유를 노래했다.

⑮D'autres l'ont enchaînée

도오트흐 롱　떵쉐네
남이 데려가 버렸네

다른 사람들이 그녀를 묶어 놓았다.

D'autres는 다른 사람들, **l'ont enchaînée**는 **la**(목적어인 그녀)+**ont enchaînée** 묶어 놓았다. **enchaînée**는 동사 **enchaîner** (묶다)의 과거형. 그녀를 묶어 놓았다.

●동사 **enchaîner** 현재시제 (**Présent**) 변화:

J'enchaîne	nous enchaînons
Tu enchaînes	vous enchaînez
il/elle/on enchaîne	ils/elles enchaînent

●동사 enchaîner 복합과거시제 (Passé composé) 변화:

j'ai enchaîné	nous avons enchaîné
tu as enchaîné	vous avez enchaîné
il/elle/on a enchaîné	ils/elles ont enchaîné

⑯Certains se sont battus

쎄흐떵 서 쏭 바뛰
그들이 서로 싸웠다네

일부 사람들이 싸웠다.

주어 Certains는 일부 사람들.

se sont battus 싸웠다. 동사 battre (싸우다)의 과거완료형.

se는 주어와 동작의 대상을 동일하게 만드는 재귀대명사,

sont 동사 être의 3인칭 복수현재형, battus 동사 battre의 과거분사형. se sont battus는 복합 과거 시제를 사용한 형태로, 완료된 과거의 동작을 나타냄.

●동사 battre 현재시제 (Présent) 변화:

je bats	nous battons
tu bats	vous battez
il/elle/on bat	ils/elles battent

⑰moi je n'ai jamais su

무아즈 내 쟈메 쒸
난 전혀 알지 못했지

나는 결코 알지 못했다.

주어 **Moi**는 나의 강세형인칭대명사. **n'ai jamais su**는 결코 알지 못했다. **su**는 동사 **savoir** (알다)의 과거분사형. **jamais** 결코.

●동사 **savoir** 현재시제 (**Présent**) 변화:

je sais	nous savons
tu sais	vous savez
il/elle/on sait	ils/elles savent

●동사 **savoir** 복합과거시제 (**Passé composé**) 변화:

j'ai su	nous avons su
tu as su	vous avez su
il/elle/on a su	ils/elles ont su

⑱Pourtant je vis toujours

뿌어떵 즈 뷔 뚜주흐
하지만 나 여전히 살아가고

그럼에도 불구하고 나는 여전히 살아있다.

Pourtant은 그럼에도 불구하고. **vis**는 동사 **vivre** (살다)의 1인칭 단수 현재형. **toujours** 여전히.

●동사 vivre 현재시제 (Présent) 변화:

je vis	nous vivons
tu vis	vous vivez
il/elle/on vit	ils/elles vivent

⑲pourtant je fais l'amour

뿌어떵 즈 패 라무흐

하지만 나 사랑을 하지

나는 사랑을 한다.

fais는 동사 faire(하다)의 1인칭 단수 현재형. l'amour는 사랑. 여기서 l'는 le (정관사 "the")와 amour 사이에서 축약형.

⑳M'arrive même de chanter sur ma guitare

마리브 멤 드 셩때 쒸흐 마 기타아

난 가끔 기타를 연주해

나는 가끔 내 기타를 연주한다.

M'는 재귀 대명사 me - 여기서는 동사 arriver (일어나다, 발생하다)와 함께 사용되어 나에게. arrive 동사 arriver의 3인칭 단수현재형. même 심지어 또는 ~조차..

de는 chanter (노래하다)와 연결되어 부정법을 형성.

sur ~위에, ma 나의, guitare 기타.

㉑Pour l'enfant que j'étais

뿌어 렁펑 끄 줴때
어린 나를 위해

Pour ~을 위해. l'enfant은 아이. l'는 le (정관사 "the")와 enfant"
사이 축약형. que는 어린 아이였을 때를 연결하는 관계사.
j'étais는 동사 être의 1인칭 단수 과거형. 나는.
Pour를 사용하여 어린 시절을 강조.

●동사 être 반과거시제 (Indicatif imparfait) 변화:

j'étais	nous étions
tu étais	vous étiez
il/elle/on était	ils/elles étaient

㉒Pour l'enfant que j'ai fait

뿌어 렁펑 끄 줴 패
내 낳은 아이를 위해

나는 내가 만든 아이를 위해.
que는 내가 만든 아이를 연결하는 관계사.
j'ai fait는 동사 faire (하다)의 1인칭 단수 과거형.

●동사 faire 현재시제 (Présent) 변화:

je fais	nous faisons

tu fais	vous faites
il/elle/on fait	ils/elles font

㉓Pendant que je rêvais il était encore temps

펑덩 끄 즈 헤뵈 일레때땅코흐 떵

내가 꿈꾸는 동안은 아직 시간은 있었죠

아직 시간이 남았다.

Il은 그를 나타내는 주어. **était**는 동사 **être**의 **3**인칭 단수과거형.

encore는 아직. **temps**은 시간.

2 Sur le pont d'avignon

쉴르 퐁 다뷔뇽/ 아뷔뇽 다리 위에

프랑스 민요

①**Sur le pont d'Avignon,**
쉴르 퐁 다비뇽
아비뇽의 다리 위에서

②**On y danse, on y danse,**
오 니 덩스, 오 니 덩스
춤을 추고 있어요, 춤을 추고 있어요,

Sur le pont d'Avignon,
쉴르 퐁 다비뇽
아비뇽의 다리 위에서

③**On y danse tout en rond**
오 니 덩스 뚜떵 홍
모두 둥글게 춤을 추고 있어요

④**Les beaux messieurs font comme ça,**
레 보 머쉬어 퐁 꼼싸
멋진 신사들은 이렇게

⑤**Et puis encore comme ça.**
에 퓌 엉꼬흐 꼼싸
그리고 또 이렇게 춤을 추죠

Sur le pont d'Avignon,
On y danse, on y danse,
Sur le pont d'Avignon,

On y danse tout en rond

⑥Les belles dames font comme ça,
레 벨르 담 퐁 꼼싸
아름다운 여성들은 이렇게
Et puis encore comme ça.
에 퓌 엉꼬흐 꼼싸.
그리고 또 이렇게 춤을 추죠

Sur le pont d'Avignon,
On y danse, on y danse,
Sur le pont d'Avignon,
On y danse tout en rond

⑦Les soldats font comme ça,
레 쏠다 퐁 꼼싸
군인들은 이렇게
Et puis encore comme ça.
에 퓌 엉꼬흐 꼼싸.
그리고 또 이렇게 춤을 추죠

Sur le pont d'Avignon,
On y danse, on y danse,
Sur le pont d'Avignon,
On y danse tout en rond

⑧Les blanchisseuses font comme ça,

레 블렁쉬서즈 퐁 꼼싸
빨래짓는 여자들은 이렇게
Et puis encore comme ça.
에 퓌 엉꼬흐 꼼싸.
그리고 또 이렇게 춤을 추죠

Sur le pont d'Avignon,
On y danse, on y danse,
Sur le pont d'Avignon,
On y danse tout en rond

⑨Les cordonniers font comme ça,
레 코흐도니에 퐁 꼼싸
신발장수 들은 이렇게
Et puis encore comme ça.
에 퓌 엉꼬흐 꼼싸
그리고 또 이렇게 춤을 추죠

Sur le pont d'Avignon,
On y danse, on y danse,
Sur le pont d'Avignon,
On y danse tout en rond.

⑩Les paysans font comme ça,
레 뻬이이정 퐁 꼼싸
농부들은 이렇게
Et puis encore comme ça.

에 퓌 엉꼬흐 꼼싸
그리고 또 이렇게 춤을 추죠

Sur le pont d'Avignon,
On y danse, on y danse,
Sur le pont d'Avignon,
On y danse tout en rond.

⑪Les boulangers font comme ça,
레 불렁줴 퐁 꼼싸
빵장수 들은 이렇게
Et puis encore comme ça.
에 퓌 엉꼬흐 꼼싸
그리고 또 이렇게 춤을 추죠

Sur le pont d'Avignon,
On y danse, on y danse,
Sur le pont d'Avignon,
On y danse tout en rond.

⑫Les vignerons font comme ça,
레 뷔녀홍 퐁 꼼싸
포도 장수 들은 이렇게
Et puis encore comme ça
에 퓌 엉꼬흐 꼼싸
그리고 또 이렇게 춤을 추죠

Sur le pont d'Avignon,
On y danse, on y danse,
Sur le pont d'Avignon,
On y danse tout en rond.

⑬Les jardiniers font comme ça,
레 자흐디니에 퐁 꼼싸
정원사 들은 이렇게
Et puis encore comme ça
에 퓌 엉꼬흐 꼼싸
그리고 또 이렇게 춤을 추죠

Sur le pont d'Avignon,
On y danse, on y danse,
Sur le pont d'Avignon,
On y danse tout en rond.

[해설]

①Sur le pont d'Avignon,
쉬르 퐁 다비뇽
아비뇽의 다리 위에서

Sur ~위에, le pont 다리. d'Avignon 아비뇽의, d'는 de (전치사 of)와 Avignon 사이에서 축약형.

②On y danse, on y danse,

오 니 덩스, 오 니 덩스
춤을 추고 있어요, 춤을 추고 있어요

거기에서 춤을 추고 있어요, 거기에서 춤을 추고 있어요

On은 그를 나타내는 대명사. 프랑스어에서 **on**은 일반적인 주어로 사용되며, 사람들, 우리. **y**는 거기에서.

danse는 동사 **danser**(춤추다)의 **3**인칭 단수 현재형.

●동사 **danser** 현재시제 **(Présent)** 변화:

je danse	nous dansons
tu danses	vous dansez
il/elle/on danse	ils/elles dansent

③On y danse tout en rond

오 니 덩스 뚜떵 홍
모두 둥글게 춤을 추고 있어요

tout 모두, **en** ~에서, **rond** 둥글게 또는 원형으로.

④Les beaux messieurs font comme ça,

레 보 머쉬어 퐁 꼼싸,
멋진 신사들은 이렇게

Les는 정관사, **the. beaux messieurs** 훌륭한 신사들, **beaux** 훌륭한, **messieurs** 신사들. **font** 동사 **faire** (하다)의 **3**인칭 복수 현재형. **comme ça** 이렇게.

●동사 faire 현재시제 (Présent) 변화:

je fais	nous faisons
tu fais	vous faites
il/elle/on fait	ils/elles font

⑤Et puis encore comme ça.
에 퓌 엉꼬흐 꼼싸
그리고 또 이렇게 춤을 추죠

그리고 또 이렇게.

Et 그리고, puis 또, encore 이렇게, comme ça는 이렇게.

⑥Les belles dames font comme ça,
레 벨르 담 퐁 꼼싸
아름다운 여성들은 이렇게

Les는 정관사 the, belles dames 아름다운 여성들, belles는 아름다운, dames는 여성들.

⑦Les soldats font comme ça,
레 쏠다 퐁 꼼싸
군인들은 이렇게

soldats 군인들

⑧Les blanchisseuses font comme ça,

레　블렁쉬서즈 퐁 꼼싸
빨래짓는 여자들은 이렇게

blanchisseuses 빨래짓는 여성들.

⑨Les cordonniers font comme ça,
레　코흐도니에 퐁 꼼싸
신발장수 들은 이렇게

cordonniers는 신발장수들.

⑩Les paysans font comme ça,
레　뻬이이정 퐁 꼼싸
농부들은 이렇게

paysans 농부들.

⑪Les boulangers font comme ça,
레　불렁줴 퐁 꼼싸
빵장수 들은 이렇게

boulangers 빵집 주인들.

⑫Les vignerons font comme ça,
레　뷔녀홍 퐁 꼼싸

포도 장수 들은 이렇게

vignerons 포도 재배자들.

⑬Les jardiniers font comme ça,
레　자흐디니에 퐁 꼼싸
정원사 들은 이렇게

Les jardiniers 정원사들.

3 Non, je ne regrette rien

농, 즈 너 흐그레트 리엉

아무 것도 후회하지않아요

Édith Piaf (에디뜨 피아프, 1915-1963)

①Non, rien de rien
농 리엉 더 리엉
아뇨, 그 아무 것도

②Non, je ne regrette rien
농 저 너 흐그레트 리엉
아뇨, 난 아무것도 후회않아

③Ni le bien qu'on m'a fait
닐러 비앙 꽝 마 패
사람들이 내게 한 좋은 일

④Ni le mal,
닐러 말
나쁜 일

⑤tout ça m'est bien égal !
뚜 샤 메 비예네갈
모두 내겐 마찬가지

Non, rien de rien
Non, je ne regrette rien

⑥C'est payé, balayé, oublié,

셰 빼이예 발래이예 우브리예
치뤘고, 지웠고, 잊었어요

⑦Je me fous du passé
즈 머 푸 뒤 빠세
내겐 과거 일 뿐

⑧Avec mes souvenir
아볘크 메 수버니어
내 추억과 같이

⑨J'ai allumé le feu
줴 알루메 러 퍼
다시 불을 붙였죠

⑩Mes chagrins, mes plaisirs
메 샤그랑, 메 쁠레지어
나의 후회와 나의 기쁨의

⑪Je n'ai plus besoin d'eux !
즈 내 쁠뤼 버즈와 더
난 이제 필요하지 않은데

⑫Balayé les amours
발레이예 레자무흐
사랑을 지웠어요

⑬Avec leurs tremolos
아볘크 레어 뜨레몰로
그 요동과 함께

⑭Balayé pour toujours
발레이예 뿌어 뚜주흐
영원히 지웠어요

⑮Je repars à zéro
즈 레빠라 제호
난 다시 시작해요

Non, rien de rien
Non, je ne regrette rien
Ni le bien qu'on m'a fait
Ni le mal,
tout ça m'est bien égal !

Non, rien de rien
Non, je ne regrette rien

⑯Car ma vie, car mes joies
까르마 뷔, 까르 메 주와
내 삶이나, 내 기쁨은
⑰Aujourd'hui, ça commence avec toi
오주르뒤 , 샤 꼬망스 아뻬끄 뚜와
오늘, 당신과 같이 시작해요

[해설]

①Non, rien de rien
농 리엉 더 리엉
아뇨, 그 아무 것도

아니, 아무것도 없어, 전혀

Non 아니, rien 아무것도 없음. 주어는 없고, 동사 rien이 주어로 작용.

②Non, je ne regrette rien

농 저 너 흐그레트 리엉
아뇨, 난 아무것도 후회않아

아니, 아무것도 없어, 전혀.

Non 아니, **je** 나, **ne** 부정적인 의미를 가지는 부사,

regrette는 동사 **regretter**(후회하다)의 **1**인칭 단수현재, **rien** 아무것도 없음

●동사 **regretter** 현재시제 **(Présent)** 변화:

je regrette	nous regrettons
tu regrettes	vous regrettez
il/elle regrette	ils/elles regrettent

③Ni le bien qu'on m'a fait

닐러 비엉 꿩 마 패
사람들이 내게 한 좋은 일

나에게 베풀어진 좋은 일들도 아니고

Ni ~도 아니고, **le bien** 좋은 일, **qu'on**는 **que + on**, 누군가가,

m'a fait 나에게 베푼.

m'a fait는 **me + avoir** (가지다) **+ faire** (하다) 의 복합과거시제,

간접목적어 나**(me)**에게 과거에 있었던 일들, 복합과거시제.

●동사 avoir 현재시제 (Présent) 변화:

j'ai	nous avons
tu as	vous avez
il/elle a	ils/elles ont

●동사 faire 복합과거 시제 (Passé composé) 변화

j'ai fait	nous avons fait
tu as fait	vous avez fait
il/elle a fait	ils/elles ont fait

④Ni le mal,
닐러 말
나쁜 일

나에게 베풀어진 나쁜 일들도 아니고

le mal (나쁜 일)

⑤tout ça m'est bien égal !
뚜 샤 메 비예네갈
모두 내겐 마찬가지

나에게는 모든 것이 상관없다

tout 모든, **ça** 이것, **tout ça**는 이 모든 것. **m'est** 나에게는, **me+est** 인 바, **me**는 인칭대명사 간접목적어로 나에게, **bien égal** 상관없다. **bien**은 매우, **égal** 동일한. 아무런 상관 없다.

⑥C'est payé, balayé, oublié,

세 빼이예 발래이예 우브리예

치뤘고, 지웠고, 잊었어요

이제는 지불되었고, 지워버렸고, 잊혔다.

C'est 이것은, **Ce**(이것) **+ est, est**는 동사 **être** (이다)의 **3**인칭 단수현재. **payé** 지불되었다, 동사 **payer**(지불하다)의 과거분사형. **balayé** 쓸어버렸다, 동사 **balayer**(지우다)의 과거분사형, **oublié** 잊혔다, 동사 **oublier**(잊다, 지워버리다)의 과거분사형.

●동사 payer 현재시제 (Présent) 변화:

je paie (je paye)	nous payons
tu paies (tu payes)	vous payez
il/elle/on paie	ils/elles paient
(il/elle/on paye)	(ils/elles payent)

●동사 payer 복합과거시제 (Passé composé)변화:

j'ai payé	nous avons payé
tu as payé	vous avez payé
il/elle/on a payé	ils/elles ont payé

●동사 balayer 현재시제 (Présent) 변화:

je balaie (je balaye)	nous balayons
tu balaies (tu balayes)	vous balayez
il/elle/on balaie	ils/elles balaient

(il/elle/on balaye) (ils/elles balayent)

●동사 balayer 복합과거시제 (Passé composé)변화:

j'ai balayé nous avons balayé
tu as balayé vous avez balayé
il/elle/on a balayé ils/elles ont balayé

●동사 oublier 현재시제 (Présent) 변화:

j'oublie balaie nous oublions
tu oublies vous oubliez
il/elle/on oublie ils/elles oublient

●동사 oublier 현재시제 (Présent) 변화:

j'oublie nous oublions
tu oublies vous oubliez
il/elle/on oublie ils/elles oublient

●동사 oublier 복합과거시제 (Passé composé)변화:

j'ai oublié nous avons oublié
tu as oublié vous avez oublié
il/elle/on a oublié ils/elles ont oublié

⑦Je me fous du passé
즈 머 푸 뒤 빠세
내겐 과거 일 뿐

나는 과거에 신경 쓰지 않는다

Je 나, **me** 재귀 대명사, 여기서는 간접목적어로 사용됨, 나 자신, 원형 **se foutre** (신경쓰지않다)라는 재귀동사의 한 부분. 이 대명사는 동작이 주어에게 돌아온다는 것을 나타낸다. **fous**는 때려치우다, 비격식적, 속어적 표현.
du 전치사 **de**와 정관사 **le**의 축약형, **of the. passé** 명사, 과거.

●동사 **foutre** 현재시제 **(Présent)** 변화:

je fous	nous foutons
tu fous	vous foutez
il/elle/on fout	ils/elles foutent

⑧Avec mes souvenirs
아붸크 메 수버니어
내 추억과 같이

나의 추억들과 함께

Avec 전치사 **with , mes:** 소유 형용사, **my** (복수형),

souvenirs 명사, 복수형, 추억 또는 기억.

Je marche avec mes souvenirs.

나는 나의 추억들과 함께 걷는다.

⑨J'ai allumé le feu

쥐 알루메 러 퍼
다시 불을 붙였죠

나는 불을 켰다

ai 동사 **avoir** (가지다)의 1인칭 단수현재형, 복합과거형을 만드는 조동사, 가지고 있다.

allumé 동사 **allumer** (켜다, 불을 붙이다)의 과거분사형.

le feu 남성 단수형 명사, 불 또는 화재.

●동사 **allumer** 현재시제 **(Présent)** 변화:

j'allume	nous allumons
tu allumes	vous allumez
il/elle/on allume	ils/elles allument

●동사 **allumer** 복합과거시제 **(Passé composé)**변화:

j'ai allumé	nous avons allumé
tu as allumé	vous avez allumé
il/elle/on allumé	ils/elles ont allumé

⑩Mes chagrins, mes plaisirs

메 샤그랑, 메 쁠레지어
나의 후회와 나의 기쁨의

나의 슬픔, 나의 기쁨

Mes 나의, chagrins 슬픔, plaisirs 기쁨.

⑪Je n'ai plus besoin d'eux !
즈 내 쁠뤼 버즈와 더
난 이제 필요하지 않은데

더 이상 필요하지 않아

n'ai는 **ne+avoir** (가지다)의 축약형, **plus** 더 이상, **besoin**는 필요. **d'eux** 그들이, **3**인칭 복수의 강세형 대명사 **eux** (그들), 전치사 **de**의 결합. **plus besoin d'eux** 더 이상 그들이 필요치 않아.

● 강세형 인칭대명사

주어	강세형	주어	강세형
je	**Moi**	**nous**	**nous**
tu	**Toi**	**vous**	**vous**
il/elle	**lui/elle**	**ils/elles**	**eux/elles**

Moi, je suis fatigué. (나, 피곤해요.)

Toi, ça va? (너, 괜찮아요?)

Elle est mariée. (그녀는 결혼했습니다.)

Nous avons parfaitement raison. (우리는 전적으로 옳다.)

Vous décidez. (당신들이 결정하세요)

Eux, ils aiment la mer. (그들은 바다를 좋아합니다.)

⑫Balayé <u>les amours</u>

발레이예 레자무흐
사랑을 지웠어요

Balayé 동사 balayer(지우다) 의 과거 분사형,

les amours 사랑, (복수형)

⑬Avec leurs tremolos

아붸크 레어 뜨레몰로
그 요동과 함께

Avec는 전치사 with, leurs는 their, 3인칭 복수 소유형 대명사,

tremolos는 진동, 떨림.

● 소유형 인칭대명사

주어	남성	여성	복수
je	mon	ma	mes
tu	ton	ta	tes
il/elle	son	sa	ses
nous	notre	notre	nos
vous	votre	votre	vos
ils/ells	leur	leur	leurs

⑭Balayé pour toujours

발레이예 뿌어 뚜주흐
영원히 지웠어요

Balayé는 balayer (지우다)의 과거분사, pour는 for, toujours는 항상 또는 언제나.

⑮Je repars à zéro

즈 레빠라 제호
난 다시 시작해요

나는 처음부터 다시 시작한다.

reparts 동사 repartir (다시 떠나다)의 1인칭 단수현재형, à는 전치사 ~으로, zéro는 0.

●동사 repartir 현재시제 (Présent) 변화:

je repars	nous repartons
tu repars	vous repartez
il/elle/on repart	ils/elles repartent

⑯Car ma vie, car mes joies

까르마 뷔, 까르 메 주와
내 삶이나, 내 기쁨은

내 인생, 내 기쁨을 위해

Car는 접속사, 왜냐하면 또는 ~을 위해, ma는 my, vie는 생명, 삶. joies는 기쁨(joie)의 복수형.

⑰Aujourd'hui, ça commence avec toi

오주르뒤 , 샤 꼬망스 아베끄 뚜와
오늘, 당신과 같이 시작해요

Aujourd'hui는 오늘, **ça**는 이것 또는 그것, **commence**는 동사 **commencer** (시작하다, 개시하다)의 **3**인칭 단수 현재형.

●동사 **commencer** 현재시제 (**Présent**) 변화:

je commence	nous commençons
tu commence	vous commencez
il/elle/on commence	ils/elles commencent

4 Le Fusil Rouillé

러 퓌지 루이예/ 녹슨 총

Enrico Macias (앙리꼬 마샤스, 1938-)

①J'ai vu le soleil brûler la mer
쉐 뷔러 솔레이 브뤼레 라 메흐
난 해가 바다를 불태우는 걸 봤지
②Le volcan éteint fendre la terre
러 볼꼉 에땅 펑드흐 라 떼흐
화산이 땅을 가르고
③Des tombeaux géants perdus dans le désert
데 똥보 줴엉 빼어뒤 덩 러 데제흐
사막에서 사라진 거대한 묘지와
④Et la goutte d'eau creuser la pierre
에 라 구떼 도 크러제 라 삐에흐
물방울이 바위에 구멍을 내는 것도
⑤J'ai connu des nuits où les étoiles
Transformaient le ciel en cathédrale
쉐 꼬뉘 데 뉘 우 레 제 뚜알
뜨렁스포흐맹 러 시옐 엉 까떼드랄
난 별들이 하늘을 성당으로 변화시킨 밤들을 알고 있지
⑥Les ruines d'un mur égrenées par le temps
Où j'ai prié souvent et pourtant
레 루앙 덩 뮈흐 에그니 빠 러 텅
우 쉐 프리 수벙 에 뿌호떵

세월이 흘러 무너지려는 돌담에 기대어 자주 간청했지만

⑦**Rien n'est plus beau qu'un fusil rouillé**

리엉 네 쁘뤼 보 꿩 퓌지 루이예
녹슨 총보다 멋진 건 아무 것도 없어요

⑧**Qu'un soldat un jour a oublié**
Quelque part à l'ombre d'un buisson

껑 솔다 엉 주흐라 우브리에
껠크 빠라 롱브르 덩 뷔쏭
어느 날인가 한 병사가 어두운 수풀 속 어디엔가 총을 잊어버렸데요

⑨**Pour courir vers son village et sa maison**
Dans ce monde qui bat le tambour

뿌흐 꾸리어 베후 송 빌라쥐 에 사 매종
덩스 몽드 끼 바 러 떵부흐
북 치듯 시끄러운 세상에서 병사는 자기 집으로 가려고 뛰어갑니다

⑩**Qui préfère la guerre à l'amour**

끼 프레페흐 라 게흐 아 라무흐
이 세상에서 누가 사랑보다 전쟁을 더 좋아할까요?

Rien n'est plus beau qu'un fusil rouillé

리엉 네 쁘뤼 보 꿩 퓌지 루이예
녹슨 총보다 멋진 건은 아무 것도 없어요

⑪**Et qui ne servira plus jamais, plus jamais**

에 끼 너 세흐비라 쁘뤼 쟈매, 쁘뤼 쟈매
그리고 전쟁에 이젠 결코, 참가하지 않을 겁니다

⑫**J'ai vu le savant, j'ai vu l'apôtre**
Passer leur vie a sauver les autres

줴 뷔 러 사벙, 줴 뷔 라뽀트흐
빠세 헤어 뷔 아 소베흐 레조트르

난 학자와 사도를 보았지
다른 사람들을 구원하는데 생명을 버리는 것을
⑬J'ai pleuré de joie en ecoutant le cri d'une
d'une femme qui donnait la vie
줴 쁠러 더 주와 엉 에꾸떵 러 끄리
뒤느 파므 끼 도네 라 뷔
목숨을 바친 한 여인의 외침을 들으며 기뻐 눈물을 흘렸죠
⑭Belle sont les fleurs dans le jardin
qui s'ouvrent a la rosee du matin
벨르 송 레 플레어 덩 러 쟈덩
끼 수바라 로제 뒤 마땅
아침이슬을 받아 핀 정원의 아름다운 꽃들
⑮Et la jeune fille dans la rue qui court
à son premier rendez-vous d'amour
에 라 젼 피 덩 라 휘 끼 꾸흐
아 송 프러미에 렁데부 다모흐
또 거리에 아가씨가 첫 사랑과의 약속을 위해 달려가네요
Rien n'est plus beau qu'un fusil rouillé
리엉 네 쁘뤼 보 꿩 퓌지 루이예
녹슨 총보다 멋진 건은 아무 것도 없어요
Dans ce monde qui bat le tambour
덩스 몽드 끼 바 러 떵부흐
북 치듯 시끄러운 이 세상에서
Quelque part à l'ombre d'un buisson
깰끄 빠라 롱브흐 덩 뷔송
수풀 속 어디엔가
Pour courir vers son village et sa maison
dans ce monde qui bat le tambour
뿌흐 꾸리어 베후 송 빌라쥐 에 사 매종

덩스 몽드 끼 바 러 떵부흐
북 치듯 시끄러운 세상에서 병사는
자기 집으로 가려 뛰어갑니다.

Qui préfère la guerre à l'amour
끼 프레페흐 라 게흐 아 라무흐
이 세상에서 누가 사랑보다 전쟁을 더 좋아할까요?

Rien n'est plus beau qu'un fusil rouillé
리엉 네 쁘뤼 보 꿩 퓌지 루이에
녹슨 총보다 멋진 건은 아무 것도 없어요

Et qui ne servira plus jamais, plus jamais
에 끼 너 세흐비라 쁘뤼 쟈매, 쁘뤼 쟈매
그리고 전쟁에 이젠 결코, 참가하지 않을 겁니다

Rien n'est plus beau qu'un fusil rouillé
리엉 네 쁘뤼 보 꿩 퓌지 루이에
녹슨 총보다 멋진 건은 아무 것도 없어요

Dans ce monde qui bat le tambour
덩스 몽드 끼 바 러 떵부흐
북 치듯 시끄러운 이 세상에서

Qui préfère la guerre à l'amour
끼 프레페흐 라 게흐 아 라무흐
이 세상에서 누가 사랑보다 전쟁을 더 좋아할까요?

Rien n'est plus beau qu'un fusil rouillé
리엉 네 쁘뤼 보 꿩 퓌지 루이에
녹슨 총보다 멋진 건은 아무 것도 없어요

Et qui ne servira plus jamais, plus jamais
에 끼 너 세흐비라 쁘뤼 쟈매, 쁘뤼 쟈매
그리고 전쟁에 이젠 결코, 참가하지 않을 겁니다

[해설]

①J'ai vu le soleil brûler la mer

쉐 뷔러 솔레이 브뤼레 라 메흐
난 해가 바다를 불태우는 걸 봤지

나는 해가 바다를 태우는 것을 보았다.

J'ai는 **je+ai**의 축약형, **I have** 의미. **vu**는 동사 **voir**(보다) 의 과거분사형, 복합과거시제로써 보았다. **le soleil**는 태양. 동사 **brûler**는 태우다. **la mer**는 바다.

●동사 **voir** 현재시제 **(Présent)** 변화:

je vois	nous voyons
tu vois	vous voyez
il/elle/on voit	ils/elles voient

●동사 **voir** 복합과거시제 **(Passé Composé)** 변화:

je vu	nous avons vu
tu as vu	vous avez vu
il/elle/on a vu	ils/elles ont vu

●동사 **brûler** 현재시제 **(Présent)** 변화:

je brûle	nous brûlons
tu brûles	vous brûlez
il/elle/on brûle	ils/elles brûlent

②Le volcan éteint fendre la terre

러 볼깽 에땅 펑드흐 라 떼흐
화산이 땅을 가르고

화산이 땅을 갈라지게 하는 것도 (보았다).

Le volcan éteint는 화산이 꺼진. **éteint**은 동사 **éteindre(끄다)**의 과거분사형. 동사 **fendre**는 갈라지게 하다. **la terre**는 땅.

●동사 **éteindre** 현재시제 **(Présent)** 변화:

j'éteins	nous éteignons
tu éteins	vous éteignez
il/elle/on éteint	ils/elles éteignent

●동사 **éteindre** 복합과거시제 **(Passé Composé)** 변화:

j'ai éteint	nous avons éteint
tu as éteint	vous avez éteint
il/elle/on a éteint	ils/elles ont éteint

●동사 **fendre** 현재시제 **(Présent)** 변화:

je fend	nous fendons
tu fend	vous fendez
il/elle/on fend	ils/elles fendent

③Des tombeaux géants perdus dans le désert

데 똥보 줴엉 빼어뒤 덩 러 데 제흐
사막에서 사라진 거대한 묘지와

사막 속에 잃어버린 거대한 무덤

tombeaux는 **tombes** (무덤, 묘지)의 복수형, **géants**는 **géant(** 거인, 거대한**)**의 복수. **perdus**는 동사 **perdre** (잃다)의 과거분사

복수형. dans는 ~에서. le désert는 사막.

●동사 perdre 현재시제 (Présent) 변화:

je perds	nous perdons
tu perds	vous perdez
il/elle/on perd	ils/elles perdent

●동사 perdre 복합과거시제 (Passé Composé) 변화:

j'ai perdu	nous avons perdu
tu as perdu	vous avez perdu
il/elle/on a perdu	ils/elles ont perdu

④Et la goutte d'eau creuser la pierre

에 라 구떼 도 크러제 라 삐에흐
물방울이 바위에 구멍을 내는 것도

물방울이 돌을 파헤치다

Et는 그리고, la goutte d'eau는 물방울. 동사 creuser는 파헤치다. la pierre는 돌.

●동사 creuser 현재시제 (Présent) 변화:

je creuses	nous creusons
tu creuses	vous creusez
il/elle/on creuse	ils/elles creusent

⑤J'ai connu des nuits où les étoiles

Transformaient le ciel en cathédrale

쿼 꼬뉘 데 뉘 우 레 제 뚜알

뜨렁스포흐맹 러 시옐 엉 까떼드랄

난 별들이 하늘을 성당으로 변화시킨 밤들을 알고 있지

별들이 밤하늘을 성당으로 바꾸는 밤들을 겪었습니다

J'ai는 **je + ai**의 축약, **I have. connu**는 동사 **connaître** (알다)의 과거분사형, 알았다. **des nuits**는 **nights. où**는 어디. **les étoiles** 별들, **stars.**

transformaient는 동사 **transformer** (변화시키다)의 반과거 **3**인칭복수형, 변형되었다. **transformed.**

le ciel은 하늘, **en cathédrale** (성당)은 **into a cathedral, en**은 ~으로.

●동사 **connaître** 현재시제 **(Présent)** 변화:

je connais	nous connaissons
tu connais	vous connaissez
il/elle/on connaît	ils/elles connaissent

●동사 **connaître** 복합과거시제 **(Passé Composé)** 변화:

j'ai connu	nous avons connu
tu as connu	vous avez connu
il/elle/on a connu	ils/elles ont connu

●동사 **transformer** 현재시제 **(Présent)** 변화:

je transforme	nous transformons
tu transformes	vous transformez
il/elle/on transforme	ils/elles transforment

●동사 transformer 반과거시제 (Indicatif imparfait) 변화:

je transformais	nous transformions
tu transformais	vous transformiez
il/elle/on transformait	ils/elles transformaient

⑥Les ruines d'un mur égrenées par le temps
Où j'ai prié souvent et pourtant

레 루앙 덩 뮈흐 에그르네 빠 러 텅
우 줴 프리 수벙 에 뿌흐떵
세월이 흘러 무너지려는 돌담에 기대어 자주 간청했지만

시간에 흩어진 벽의 폐허에서 나는 종종 기도했지만, 그럼에도 불구하고.

Les ruines는 폐허, **d'un mur**는 **of a wall** (벽에), **d'un**은 **de**와 **un**의 축약. **égrenées**는 흩어진, 동사 **égrener**(떨어지다)의 과거분사형. **par le temps**은 시간을 따라.

Où는 어디에, **j'ai prié**는 나는 기도했다. **prié**는 동사 **prier** (기도하다) 의 과거분사형. **souvent**은 자주. **et pourtant**은 그런데 아직도. 시간에 흩어진 벽의 폐허에서 나는 종종 기도했지만, 그럼에도 불구하고.

●동사 prier 현재시제 (Présent) 변화:

je prie	nous prions
tu pries	vous priez
il/elle/on prie	ils/elles prient

●동사 prier 복합과거시제 (Passé Composé) 변화:

j'ai prié	nous avons prié
tu as prié	vous avez prié
il/elle/on a prié	ils/elles ont prié

⑦Rien n'est plus beau qu'un fusil rouillé

리엉 네 쁘뤼 보 꿩 퓌지 루이예
녹슨 총보다 멋진 건 아무 것도 없어요

녹슨 총보다 더 아름다운 것은 없다네

Rien 아무것도 없다, n'est는 ne와 est의 축약, is not (~이 아니다). plus beau는 more beautiful (더 아름답다), plus는 more (더). qu'un은 que와 un의 축약, ~보다도.

fusil rouillé는 녹슨 총, fusil는 총, rouillé는 녹슨, 동사 rouiller (녹슬게하다)의 과거분사형.

●동사 rouiller 현재시제 (Présent) 변화:

je rouille	nous rouillons
tu rouilles	vous rouillez
il/elle/on rouille	ils/elles rouillent

●동사 rouiller 복합과거시제 (Passé Composé) 변화:

j'ai rouillé	nous avons rouillé
tu as rouillé	vous avez rouillé
il/elle/on a rouillé	ils/elles ont rouillé

⑧Qu'un soldat un jour a oublié
Quelque part à l'ombre d'un buisson

껑 솔다 엉 주흐라 우브리에
껠크 빠라 롱브르 덩 뷔쏭
어느 날인가 한 병사가 어두운 수풀 속 어디엔가 총을 잊어 버렸데요

어느 날 한 병사가 덤불의 그늘 속 어딘가에 (무엇인가를) 잊어 버렸다

Qu'는 **que**가 모음 앞에서 축약, **un soldat**는 한 병사, **un jour**는 어느 날. **a oublié**는 복합과거형 (**passé composé**)으로, 잊어버리다. **a**는 조동사 **avoir**의 **3**인칭 단수현재형, **oublié**는 동사 **oublier**(잊다)의 과거분사형.

Quelque part는 어딘가에서, **part**는 곳. **à l'ombre**는 그늘 속에서, **à**는 ~에서. **l'ombre** 그늘. **d'un buisson**는 수풀의.

●동사 oublier 현재시제 (Présent) 변화:

je oublie	nous oublions
tu oublies	vous oubliez

il/elle/on oublie ils/elles oublient

●동사 oublier 복합과거시제 (Passé Composé) 변화:

j'ai oublié nous avons oublié
tu as oublié vous avez oublié
il/elle/on a oublié ils/elles ont oublié

⑨Pour courir vers son village et sa maison
Dans ce monde qui bat le tambour

뿌흐 꾸리어 베후 송 빌라쥐 에 사 매종
덩스 몽드 끼 바 러 떵부흐
북 치듯 시끄러운 세상에서 병사는 자기 집으로 가려고 뛰어갑니다

자신의 마을과 집을 향해 달리기 위해서

Pour는 ~하기 위해, courir 달리다, vers ~을 향해,
son 그의, village 마을. et 그리고, sa 그의, maison 집.

북을 치는 이 세상에서

Dans ~안에, ~에서, ce 이, monde 세상, 세계, qui 누구, ~하는,
bat 두드리다, 치다, le tambour는 드럼, 북.

●동사 courir 현재시제 (Présent) 변화:

je cours nous courons
tu cours vous courez

il/elle/on court	ils/elles courent

●동사 battre 현재시제 (Présent) 변화:

je bats	nous battons
tu bats	vous battez
il/elle/on bat	ils/elles battent

⑩Qui préfère la guerre à l'amour

끼 프레페흐 라 게흐 아 라무흐
이 세상에서 누가 사랑보다 전쟁을 더 좋아할까요?

누가 사랑보다도 전쟁을 더 좋아할까

Qui 누가, préfère는 동사 préférer (선호하다)의 3인칭 현재형,

la guerre 전쟁, à는 ~보다도, l'amour 사랑.

●동사 préférer 현재시제 (Présent) 변화:

je préfère	nous préférons
tu préfères	vous préférez
il/elle/on préfère	ils/elles préfèrent

⑪Et qui ne servira plus jamais, plus jamais

에 끼 너 세흐비라 쁠뤼 쟈매, 쁠뤼 쟈매
그리고 전쟁에 이젠 결코, 참가하지 않을 겁니다

Et (그리고), qui 누구, ~하는 ne (부정어) 아니다,

servira 사용되다, 봉사하다, 동사 servir (모시다, 대하다)의 단

순미래 3인칭단수. plus 더 이상, jamais 절대, 결코, plus jamais 다시는, 결코 다시는.

●동사 server 현재시제 (Présent) 변화:

je sers	nous servons
tu sers	vous servez
il/elle/on sert	ils/elles servent

●동사 server 단순미래시제 변화:

je servirai	nous servirons
tu servirai	vous servirez
il/elle/on servira	ils/elles serviront

⑫J'ai vu le savant, j'ai vu l'apôtre
Passer leur vie a sauver les autres

쉐 뷔 러 사벙, 쉐 뷔 라뽀트흐
빠세 헤어 뷔 아 소베흐 레조트흐
난 학자와 사도를 보았지
다른 사람들을 구원하는데 생명을 버리는 것을

J'ai vu 나는 보았다, 주어 je와 동사 voir (보다)의 복합과거형. ai는 avoir 동사의 현재형, vu는 voir 동사의 과거분사형.

le savant 학자, 과학자. l'apôtre 사도, le+apôtre (사도) 의 축약형.

passer leur vie a sauver les autres 다른 사람들을 구하기 위해 그들의 삶을 보내다. passer 보내다, leur 소유 형용사, 그들

의, vie 삶. a ~하기 위해, sauver 구하다. les autres 다른 사람들.

●동사 passer 현재시제 (Présent) 변화:

je passe	nous passons
tu passes	vous passez
il/elle/on passe	ils/elles passent

●동사 sauver 현재시제 (Présent) 변화:

je sauve	nous sauvons
tu sauves	vous sauvez
il/elle/on sauve	ils/elles sauvent

⑬J'ai pleuré de joie en ecoutant le cri d'une d'une femme qui donnait la vie

쉐 뺄러 더 주와 엉 에꾸떵 러 끄리
뒤느 파므 끼 도네 라 뷔
목숨을 바친 한 여인의 외침을 들으며 기뻐 눈물을 흘렸죠

나는 한 여자가 생명을 주는 소리를 들으면서 기쁨에 울었다

J'ai pleuré 나는 울었다, 주어 je와 동사 pleurer(울다)의 복합과거형. de joie 기쁨으로, en écoutant ~을 들으면서, le cri 소리, 외침. d'une femme 한 여자의, qui donnait la vie 생명을 주는, donnait는 동사 donner(주다) 반과거형. la vie (생명).

●동사 pleurer 현재시제 (Présent) 변화:

je pleure	nous pleurons
tu pleures	vous pleurez
il/elle/on pleure	ils/elles pleurent

●동사 pleurer 복합과거시제 (Passé Composé) 변화:

j'ai pleuré	nous avons pleuré
tu as pleuré	vous avez pleuré
il/elle/on a pleuré	ils/elles ont pleuré

●동사 écouter 현재시제 (Présent) 변화:

je écoute	nous écoutons
tu écoutes	vous écoutez
il/elle/on écoute	ils/elles écoutent

●동사 donner 현재시제 (Présent) 변화:

je donne	nous donnons
tu donnes	vous donnez
il/elle/on donne	ils/elles donnent

⑭Belle sont les fleurs dans le jardin qui s'ouvrent a la rosée du matin

벨르 송 레 플레어 덩 러 쟈덩
끼 수바라 로제 뒤 마땅
아침이슬을 받아 핀 정원의 아름다운 꽃들

Belle, 아름다운, sont 동사 être의 3인칭 복수현재형, 그들은.

les fleurs 꽃들, dans ~안에. le jardin 정원. qui는 who 또는 which. s'ouvrent는 재귀적 대명사 se+ 동사 ouvrir(열리다). 꽃들이 스스로 피어났다, à la rosée 이슬에, du matin 아침.

●동사 ouvrir 현재시제 (Présent) 변화:

je ouvre	nous ouvrons
tu ouvres	vous ouvrez
il/elle/on ouvre	ils/elles ouvrent

●대명동사 s'ouvrir 현재시제 (Présent) 변화:

je m'ouvre	nous nous ouvrons
tu t'ouvres	vous vous ouvrez
il/elle/on s'ouvre	ils/elles s'ouvrent

⑮Et la jeune fille dans la rue qui court à son premier rendez-vous d'amour

에 라 젼 피 덩 라 휘 끼 꾸흐
아 송 프러미에 렁데부 다모르
또 거리에 아가씨가 첫 사랑과의 약속을 위해 달려가네요

la jeune fille 젊은 소녀, dans la rue 거리에서,
qui court 동사 courir (달리다)의 3인칭 단수현재형.
à son premier rendez-vous d'amour 그녀의 첫 사랑 데이트를 향하여. rendez-vous는 만날 약속.

●동사 courir 현재시제 (Présent) 변화:

je cours	nous courons
tu cours	vous courez
il/elle/on court	ils/elles courent

5 Ma Solitude

마 쏠리튀드/ 나의 고독

Georges Moustaki (조르주 무스타키, 1934-2013)

①Pour avoir si souvent dormi, avec ma solitude,
Je m'en suis faite presqu'une amie, une douce habitude.
푸어 아부와 시 수벙 도흐미 아베끄 마 쏠리튀드
저 멍 스위 패트 프레스꿔나미, 윈 두 사비튀드
그토록 자주 나의 고독과 더불어 잠드나니
이젠 고독이 내 여자친구같군요. 달콤한 습관으로요.

②Elle ne me quitte pas d'un pas, fidèle comme une ombre.
엘 너 머 끼트 파 던 빠, 휘델 꼬뮌 옴브흐
고독은 한 발자국 떨어짐없이 그림자인양 충실하네요

③Elle m'a suivi ca et la, aux quatres coins du monde.
엘 마 스위비 사에라, 오 꽈뜨흐 꾸와 뒤 몽
이곳 저곳 날 좇아다니네요 이 세상 어디든

④Non, je ne suis jamais seul, avec ma solitude.
농, 즈 너 스위 쟈메 셀, 아베끄 마 쏠리튀드
아뇨, 난 나의 고독과 함께라면 외롭지 않아요

⑤Quand elle est au creux de mon lit, elle prend toute la place,
껑 뗄레또 크허 더 몽 리, 엘 프헝 투트 라 플라스

고독이 잠자리를 같이 할때면, 고독이 온 자리를 다 차지해 버리죠

⑥Et nous passons de longues nuits, tous les deux face a face.

에 누 파쏭 더 롱거 뉘, 투레드 파싸파스
그리고 우린 긴 밤을 함께하죠 둘 모두 얼굴을 마주한 채

⑦Je ne sais vraiment pas jusqu'ou, ira cette complice,

즈 느 새 브래멍 빠 쥐스꾸우, 이라 세뜨 꽁플리스
난 우리 함께한 비밀이 어디까지 갈지 정말몰라

⑧Faudra-t-il que j'y prenne gout, ou, que je reagisse?

포드라띨 끄 지 프레느 구, 우 끄 즈 레아지스
체념한 채 좋아할지,아님 내가 뭔가 대책을 세워야 할 지

Non, je ne suis jamais seul avec ma solitude.

농, 즈 너 스위 쟈메 셀, 아베끄 마 쏠리튀드
아뇨, 난 나의 고독과 함께라면 외롭지 않아요

⑨Par elle, j'ai autant appris, que j'ai versé de larmes.

빠 엘르, 줴 오땅따프리, 끄 줴 베흐세 드 라흐머
고독에게서 난 내 흘린 눈물만큼 많은 걸 배웠어요

⑩Si parfois je la repudie, jamais elle ne desarme.

씨 빠르푸와 즈 라 레쀠디, 쟈메젤 느 데자흐므
내가 거부한다해도 고독은 결코 물러서지 않아요

⑪Et, si je préfère l'amour, d'une autre courtisane,

에, 씨 즈 프레페 흐라무흐, 뒨 오트흐 꾸흐띠잔
또, 내가 다른 여인의 사랑을 더 좇아간데도

⑫Elle sera a mon dernier jour, ma dernière compagne.

엘 세라 아 몽 데흐니에 주흐 , 마 데흐니에흐 꽁빠녀

고독은 내 마지막 날, 나의 마지막 동반자가 되리니

Non, je ne suis jamais seul avec ma solitude.

농, 즈 너 스위 쟈메 셀, 아베끄 마 쏠리튀드
아뇨, 난 나의 고독과 함께라면 외롭지 않아요

Non, je ne suis jamais seul avec ma solitude.

농, 즈 너 스위 쟈메 셀, 아베끄 마 쏠리튀드
아뇨, 난 나의 고독과 함께라면 외롭지 않아요

[해설]

①**Pour avoir si souvent dormi, avec ma solitude,**
Je m'en suis faite presqu'une amie, une douce habitude.

푸어 아부와 시 수벙 도흐미 아베끄 마 쏠리튀드
저 멍 스위 패트 프레스꿔나미, 윈 두 사비튀드
그토록 자주 나의 고독과 더불어 잠드나니
이젠 고독이 내 여자친구 같네요. 달콤한 습관으로요.

Pour ~하기 위하여, ~해서, **avoir** 가지다 (동사의 원형, 여기서는 잠을 잔, **si souvent**: 아주 자주, **dormi** 잤다, 동사 **dormir**(자다)의 과거 분사형, **avec** ~와 함께, **ma solitude** 나의 고독.

Je m'en suis faite 나는 만들었다 (재귀대명사와 **être** 동사의 형태, 여기서 주어는 여성.

m'는 **me**의 축약형, 나의 재귀대명사, **en** 여기서는 그것을 의미하며 **solitude** 고독을 지칭.

suis 동사 **être**의 1인칭 단수 현재형. **faite** 동사 **faire** (하다)의 과거 분사형. **presque** 거의, **une amie** 친구 (여성), **une douce**

habitude 하나의 달콤한 습관. douce 단, 달콤한.

②Elle ne me quitte pas d'un pas, fidèle comme une ombre.

엘 너 머 끼트 파 던 빠, 휘델 꼬뮌 옴브흐
고독은 한 발자국 떨어짐없이 그림자인양 충실하네요

그녀는 그림자처럼 나를 한 걸음도 떠나지 않는다

Elle 그녀는, ne ... pas ~하지 않다. me 나를 (목적어 대명사),
quitte 떠나다, 동사 quitter의 3인칭 단수 현재형.
pas 걸음, d'un pas 한 걸음도.
fidèle 충실한, 신실한, comme ~처럼, une ombre: 한 그림자.

③Elle m'a suivi ca et la, aux quatres coins du monde.

엘 마 스위비 사에라, 오 꽈뜨흐 꾸와 뒤 몽
이곳 저곳 날 좇아다니네요 이 세상 어디든

그녀는 세계의 네 모퉁이 여기저기에서 나를 따라왔다

Elle 그녀는, m' 나를 (간접목적어 대명사 me의 축약형),
a (동사 avoir의 3인칭 단수 현재형), suivi 따라왔다, 동사 suivre (따르다) 의 과거 분사, ça et là 여기저기, aux ~에, quatre 넷, coins 모퉁이, 구석, du monde 세계.

●동사 suivre 현재시제 (Présent) 변화:

je suis	nous suivons

tu suis　　　　　　　　　　vous suivez
il/elle/on suit　　　　　　　ils/elles suivent

●동사 suivre 의 복합과거시제 (Passé composé) 변화:

j'ai suivi　　　　　　　　　nous avons suivons
tu as suivi　　　　　　　　　vous avez suivi
il/elle/on a suivi　　　　　　ils/elles ont suivi

④Non, je ne suis jamais seul, avec ma solitude.

농, 즈 너 스위 쟈메 셸, 아베끄 마 쏠리뛰드
아뇨, 난 나의 고독과 함께라면 외롭지 않아요

je 나는, ne ... jamais: 결코 ~하지 않다 (부정문 구조, ne와 jamais가 결합 결코 ~하지 않다), suis ~이다, 동사 être의 1인칭 단수 현재형, seul 혼자 (나는 혼자), avec ~와 함께, ma 나의, solitude 고독.

⑤Quand elle est au creux de mon lit, elle prend toute la place,

꿩 뗄레또 크허 더 몽 리, 엘 프헝 투트 라 플라스
고독이 잠자리를 같이 할때면, 고독이 온 자리를 다 차지해 버리죠

Quand 언제 또는 그때, elle 그녀, est 동사 être의 3인칭 단수 현재형, 있다. au creux de 내 안에서, creux는 속이 빈, mon 나의, lit 침대.

elle prend 동사 prendre (가지다, 취하다)의 3인칭 단수형 현재형, 가져간다. toute la place 모든 공간.

●동사 prendre 현재시제 (Présent) 변화:

je prends	nous prenons
tu prends	vous prenez
il/elle/on prend	ils/elles prennent

⑥Et nous passons de longues nuits, tous les deux face a face.

에 누 파쏭 더 롱거 뉘, 투레드 파싸파스
그리고 우린 긴 밤을 함께하죠 둘 모두 얼굴을 마주한 채

Et 그리고, nous 1인칭 복수형, 우리. passons 동사 passer (지내가, 보내다)의 1인칭 복수형 현재형.
de longues nuits 긴 밤들을, tous les deux 둘 다, face à face 얼굴을 마주한 상태로.

●동사 passer 현재시제 (Présent) 변화:

je passe	nous passons
tu passes	vous passez
il/elle/on passe	ils/elles passent

⑦Je ne sais vraiment pas jusqu'ou, ira cette complice,

즈 느 새 브래멍 빠 쥐스꾸우, 이라 세뜨 꽁플리스
난 우리 함께한 비밀이 어디까지 갈지 정말몰라

Je 나, ne sais pas 는 savoir (알다)의 1인칭 단수형 현재형 부

정형, 모른다. vraiment 정말로, jusqu'où 어디까지.
ira 동사 aller (가다)의 3인칭 단수미래형, 갈 것이다.
cette 이것. complice 공범 또는 동행자.

●동사 aller 미래시제 (Futur) 변화:

je irai	nous irons
tu iras	vous irez
il/elle/on ira	ils/elles iront

⑧Faudra-t-il que j'y prenne gout, ou, que je reagisse?

포드라띨 끄 지 프레느 구, 우 끄 즈 레아지스
체념한 채 좋아할지,아님 내가 뭔가 대책을 세워야 할 지

Faudra-t-il 동사 falloir (필요하다) 의 3인칭 단수미래형, 해야 할 것이다. que는 that 또는 whether. j'y 나에게. prenne 동사 prendre (가지다, 취하다)의 1인칭 단수현재형 가정법형, 맛보다. goût 맛. ou 또는, je réagisse 동사 réagir (반응하다)의 1인칭 단수현재형 가정법형.

●동사 réagir 현재시제 (Présent) 변화:

je réagis	nous réagissons
tu réagis	vous réagissez
il/elle/on réagit	ils/elles réagissent

⑨Par elle, j'ai autant appris, que j'ai versé de larmes.

빠 엘르, 줴 오땅따프리, 끄 줴 베흐세 드 라흐머

고독에게서 난 내 흘린 눈물만큼 많은 걸 배웠어요

Par elle 그녀를 통하여, j'ai는 je + ai (동사 avoir 가지다).
autant 같은 만큼 또는 많이, appris 동사 apprendre (배우다)의 1인칭 단수 과거완료형, 배웠다.
que는 that 또는 than. j'ai versé 동사 verser (흘리다)의 1인칭 단수과거완료형, 나는 흘렸다. de larmes 눈물.

●동사 verser 현재시제 (Présent) 변화:

je verse	nous versons
tu verses	vous versez
il/elle/on verse	ils/elles versent

●동사 verser 의 복합과거시제 (Passé composé) 변화:

j'ai versé	nous avons versé
tu as versé	vous avez versé
il/elle/on a versé	ils/elles ont versé

⑩Si parfois je la repudie, jamais elle ne desarme.

씨 빠르푸와 즈 라 레쀄디, 쟈메젤 느 데자흐므
내가 간혹 거부한다해도 고독은 결코 물러서지 않아요

Si 만약, parfois 가끔, je 나는, la 그녀를 (목적어), répudie 동사 répudier (버리다, 거절하다)의 1인칭 단수현재형.

jamais 절대로, elle 그녀는, ne désarme 동사 désarmer (무장을 풀다)의 3인칭 단수형 현재.

●동사 répudier 현재시제 (Présent) 변화:

je répudie	nous répudions
tu répudies	vous répudiez
il/elle/on répudie	ils/elles répudient

●동사 désarmer 현재시제 (Présent) 변화:

je désarme	nous désarmons
tu désarmes	vous désarmez
il/elle/on désarme	ils/elles désarment

⑪Et, si je préfère l'amour, d'une autre courtisane,

에, 씨 즈 프레페흐 라무흐, 뒨 오트흐 꾸흐띠잔
또, 내가 다른 여인의 사랑을 더 좇아간데도

si 만약, je 나는, préfère는 동사 préférer (선호하다)의 1인칭 단수현재형. l'amour 사랑. d'une는 de와 une의 합성, 한 또는 다른. autre 다른, courtisane 매춘부.

⑫Elle sera a mon dernier jour, ma dernière compagne.

엘 세라 아 몽 데흐니에 주흐 , 마 데흐니에흐 꽁빠녀
고독은 내 마지막 날, 나의 마지막 동반자가 되리니

Elle 그녀, sera 동사 être의 3인칭 단수미래형, ~일 것이다.
à ~에. mon 나의, dernier 마지막. jour 날. ma 소유형 대명사, 나의. compagne 동반자 또는 배우자.

6 La Maladie d'amour

라 말라디 다무흐/ 사랑의 열병

Michel Sardou (미쉘 사르두, 1947~)

①Elle court, elle court,
la maladie d'amour,
dans le cœur des enfants
de sept à soixante-dix-sept ans.
엘 쿠흐 엘 쿠흐, 라 말라디 다무으
덩 르 쾌흐 데정펑 드 세따 수와상 디 세떵
퍼져요, 퍼져요 사랑의 열병이
일곱 살 아이부터 일흔일곱 노인의 마음속에서

②Elle chante, elle chante,
la rivière insolente
qui unit dans son lit
les cheveux blonds, les cheveux gris.
엘 셩 엘 셩, 라 리뷔에흐 엉설렁
끼 위니 덩 송 리 레셔브 블롱 레셔브 그리
노래하죠, 노래하죠 광활한 흐름속 거침없는 강물이
금발이든 백발이든

③Elle fait chanter les hommes et s'agrandir le monde.
엘 패 셩떼 레조오므 에 사그렁디어 러 몽드
사랑은 사람으로 노래하게 하고 또 세상을 키웁니다.

④Elle fait parfois souffrir tout le long d'une vie.

엘 패 빠흐푸아 수프리어 뚜 러 롱 뒤느 뷔
때론 일평생 힘들게도 하죠

⑤Elle fait pleurer les femmes, elle fait crier dans l'ombre mais le plus douloureux, c'est quand on en guérit.

엘 패 플러헤 레 파므 엘 패 크리에 덩 로옹브흐
매르플뤼 둘루흐 쎄 껑 통 엉 게리
사랑은 여자들을 울리고 어둠 속에서 울게도 하지만
가장 슬픈 건 그것이 끝난 뒤랍니다

Elle court, elle court,
la maladie d'amour,
dans le cœur des enfants
de sept à soixante-dix-sept ans.

엘 쿠흐 엘 쿠흐, 라 말라디 다무흐
덩 르 쾌흐 데정펑 드 세따 수와상 디 세떵
퍼져요, 퍼져요 사랑의 열병이
일곱 살 아이부터 일흔일곱 노인의 마음속에서

Elle chante, elle chante,
la rivière insolente
qui unit dans son lit
les cheveux blonds, les cheveux gris.

엘 셩 엘 셩, 라 리뷔에흐 엉설렁
끼 위니 덩 송 리 레셔브 블롱 레셔브 그리
노래하죠, 노래하죠 광활한 흐름속 거침없는 강물이
금발이든 백발이든

⑥Elle surprend l'écolière sur le banc d'une classe
Par le charme innocent d'un professeur d'anglais.
엘 쉬어프헝 레꼴리에흐 쉬러벙 드위느 클라쓰
빠르 샤흐므 이노썽 덩 프호페써흐 동글레
사랑은 교실의 여학생을 설레게 합니다.
한 영어교사의 순수한 매혹에

⑦Elle foudroie dans la rue cet inconnu qui passe
et qui n'oubliera plus ce parfum qui volait.
엘 후드루와 덩 라 휘이 세트 엉꼬뉘 끼 빠스
에 끼 누우브리에라 플뤼 써 빠흐팡 끼 볼래
사랑은 거리를 건너는 낯선 행인을 사로잡아
그가 맡았던 향기를 잊지 못하게 되죠

Elle court, elle court,
la maladie d'amour,
dans le cœur des enfants
de sept à soixante-dix-sept ans.
엘 쿠흐 엘 쿠흐, 라 말라디 다무흐
덩 르 쾨흐 데정펑 드 세따 수와상 디 세떵
퍼져요, 퍼져요 사랑의 열병이
일곱 살 아이부터 일흔일곱 노인의 마음속에서

Elle chante, elle chante,
la rivière insolente
qui unit dans son lit

les cheveux blonds, les cheveux gris.
엘 셩 엘 셩, 라 리뷔에흐 엉설렁
끼 위니 덩 송 리 레셔브 블롱 레셔브 그리
노래하죠, 노래하죠 광활한 흐름속 거침없는 강물이
금발이든 백발이든

Elle court, elle court,
la maladie d'amour,
dans le cœur des enfants
de sept à soixante-dix-sept ans.
엘 쿠흐 엘 쿠흐, 라 말라디 다무흐
덩 르 쾌흐 데정펑 드 세따 수와상 디 세떵
퍼져요, 퍼져요 사랑의 열병이
일곱 살 아이부터 일흔일곱 노인의 마음속에서

Elle chante, elle chante,
la rivière insolente
qui unit dans son lit
les cheveux blonds, les cheveux gris.
엘 셩 엘 셩, 라 리뷔에흐 엉설렁
끼 위니 덩 송 리 레셔브 블롱 레셔브 그리
노래하죠, 노래하죠 광활한 흐름속 거침없는 강물이
금발이든 백발이든

Elle fait chanter les hommes et s'agrandir le monde.
엘 패 셩떼 레조오므 에 사그헝디어 러 몽드

사랑은 사람으로 노래하게 하고 또 세상을 키웁니다.

Elle fait parfois souffrir tout le long d'une vie.
엘 패 빠흐푸아 수프리어 뚜 러 롱 뒤느 뷔
때론 일평생 힘들게도 하죠

[해설]

①Elle court, elle court,
la maladie d'amour,
dans le cœur des enfants
de sept à soixante-dix-sept ans.
엘 쿠흐 엘 쿠흐, 라 말라디 다무으
덩 르 쾌흐 데정펑 드 세따 수와상 디 세떵
퍼져요, 퍼져요 사랑의 열병이
일곱 살 아이부터 일흔일곱 노인의 마음속에서

Elle 그녀, 여기서는 사랑을 뜻함. **court**는 동사 **courir** (달리다)의 **3**인칭 단수현재형. **la maladie** 질병, 증상. **d'amour** 사랑의. **dans** ~안에, **le cœur** 마음, **des enfants** 어린이들, **de sept à soixante-dix-sept ans 7**세에서 **77**세까지. **ans**는 나이.

●동사 courir 현재시제 (Présent) 변화:

je cours	nous courons
tu cours	vous courez
il/elle/on court	ils/elles courent

②Elle chante, elle chante,

la rivière insolente
qui unit dans son lit
les cheveux blonds, les cheveux gris.
엘 셩 엘 셩, 라 리뷔에흐 엉설렁
끼 위니 덩 송 리 레셔브 블롱 레셔브 그리
노래하죠, 노래하죠 광활한 흐름속 거침없는 강물이
금발이든 백발이든

chante 동사 chanter (노래하다) 의 3인칭단수현재형. la rivière 강물, insolente는 도도한, 따라서 도도히 흐르는 강물.
Qui는 머리카락을 맺어주는, Son lit 그녀(사랑)의 침대, Les cheveux 머리카락, blonds 금발, gris는 회색 백발.

●동사 chanter 현재시제 (Présent) 변화:

je chante	nous chantons
tu chantes	vous chantez
il/elle/on chante	ils/elles chantent

③Elle fait chanter les hommes et s'agrandir le monde.
엘 패 셩떼 레조오므 에 사그렁디어 러 몽드
사랑은 사람으로 노래하게 하고 또 세상을 키웁니다.

fait chanter는 동사로 노래하게 하다, 동사원형 faire (하다, 만들다) + 동사원형 chanter(노래하다), les hommes 남자들, s'agrandir le monde는 세상을 점점 더 크게 만들다. se + agrandir (늘리다, 넓히다).

●동사 faire 현재시제 (Présent) 변화:

je fais	nous faisons
tu fais	vous faites
il/elle/on faite	ils/elles font

●동사 agrandir 현재시제 (Présent) 변화:

je agrandis	nous agrandissons
tu agrandis	vous agrandissez
il/elle/on agrandit	ils/elles agrandissent

④Elle fait parfois souffrir tout le long d'une vie.

엘 패 빠흐푸아 수프리어 뚜 러 롱 뒤느 뷔
때론 일평생 힘들게도 하죠

Elle 그녀 (사랑), fait 동사 faire(하다, 만들다)의 3인칭 단수현재형, parfois 때때로, souffrir (고통을 겪다), tout le long de ~동안 내내, une vie 평생. tout le long d'une vie 한 평생 내내.

●동사 souffrir 현재시제 (Présent) 변화:

je souffre	nous souffrons
tu souffres	vous souffrez
il/elle/on souffre	ils/elles souffrent

⑤Elle fait pleurer les femmes, elle fait crier dans l'ombre mais le plus douloureux, c'est quand on en guérit.

엘 패 플러헤 레 파므 엘 패 크리에 덩 로옹브흐
매르플뤼 둘루흐 쎄 꿩 통 엉 게리

사랑은 여자들을 울리고 어둠 속에서 울게도 하지만
가장 슬픈 건 그것이 끝난 뒤랍니다

pleurer (울다), fait pleurer 울게 하다, les femmes 여성들, crier (비명을 지르다). dans l'ombre 어둠 속에서, mais 하지만. le plus douloureux 가장 고통스러운 것. douloureux 괴로운. c'est 동사 être의 현재형, 이다. quand ~할 때.
on 대명사로 일반적인 주어 우리 또는 사람들, en 그것을, 앞 문장에서 언급된 대상(고통). guérit는 동사 guérir (치유하다)의 3인칭 단수현재형.

●동사 pleurer 현재시제 (Présent) 변화:

je pleure	nous pleurons
tu pleures	vous pleurez
il/elle/on pleure	ils/elles pleurent

●동사 crier 현재시제 (Présent) 변화:

je crie	nous crions
tu cries	vous criez
il/elle/on crie	ils/elles crient

●동사 guérir 현재시제 (Présent) 변화:

je guéri	nous guérissons
tu guéris	vous guérissez
il/elle/on guérit	ils/elles guérissent

⑥Elle surprend l'écolière sur le banc d'une classe

Par le charme innocent d'un professeur d'anglais.
엘 쉬어프렁 레꼴리에흐 쉴러벙 드위느 클라쓰
빨르 샤흐므 이노썽 덩 프호페써흐 동글레
사랑은 교실의 여학생을 설레게 합니다.
한 영어교사의 순수한 매혹에

surprend는 동사 **surprendre**(놀라게 하다)의 **3**인칭 단수현재형, **l'écolière** 여학생, **sur ~**에서, **le banc** 벤치, **d'une classe** 한 교실의. **par** 에 의해, **le charme** 매력, **innocent** 순진한, **d'un professeur d'anglais** 영어 선생님. **anglais** 영어, 영국.

●동사 **surprendre** 현재시제 (**Présent**) 변화:

je surprends	nous surprenons
tu surprends	vous surprenez
il/elle/on surprend	ils/elles surprennent

⑦Elle foudroie dans la rue cet inconnu qui passe et qui n'oubliera plus ce parfum qui volait.
엘 후드루와 덩 라 휘이 세트 엉꼬뉘 끼 빠스
에 끼 누우브리에라 플뤼 써 빠흐팡 끼 볼래
사랑은 거리를 건너는 낯선 행인을 사로잡아
그가 맡았던 향기를 잊지 못하게 되죠

foudroie는 동사 **foudroyer** (매료시키다)의 **3**인칭 단수현재형, **dans la rue** 길에서, **dans** 안에서, **la rue** 거리.
cet 이 것, **inconnu** 낯선 사람, **qui** 관계대명사로 누구, **passe** 동사 **passer** (지나다)의 **3**인칭 단수현재형, **et** 그리고.

n'oublieras는 **ne+** 동사 **oublier** (잊다) **3**인칭 단수미래형 부정

형, 잊지 않을 것이다. plus 더 이상. parfum 향기. volait는 동사 voler (퍼지다, 날다)의 반과거형.

●동사 foudroyer 현재시제 (Présent) 변화:

je foudroie	nous foudroyons
tu foudroies	vous foudroyez
il/elle/on foudroie	ils/elles foudroient

●동사 oublier 현재시제 (Présent) 변화:

je oublie	nous oublions
tu oublies	vous oubliez
il/elle/on oublie	ils/elles oublient

●동사 voler 현재시제 (Présent) 변화:

je vole	nous volons
tu voles	vous volez
il/elle/on vole	ils/elles volent

7 Plaisir d'amour

쁠레지어 다무흐/ 사랑의 기쁨

Nana Mouskouri (나나 무스꾸리, 1934~)

①Plaisir d'amour Ne dure qu'un moment
Chagrin d'amour Dure toute la vie.
뿔레지어 다아무흐, 너 뒤르 꺄앙 모오머엉
샤아그랑 다아무흐, 뒤흐 뚜우뜨 라아 뷔이어
사랑의 기쁨은 한 순간 뿐이나
사랑의 슬픔은 일생을 가네

②Tu m'as quittée pour la belle Sylvie.
뛰 마아 끼이떼 뿌어 라 벨르 실뷔어
당신은 예쁜 실뷔를 위해 나를 떠났네

③Elle te quitte pour un autre amant.
엘러 떠어 끼이뜨 뿌우어 엉 오트흐 아멍
그녀는 다른 사랑을 찾아 당신을 떠나네

Plaisir d'amour Ne dure qu'un moment
Chagrin d'amour Dure toute la vie.
뿔레지어 다아무흐, 너 뒤르 꺄앙 모오머엉
샤아그랑 다아무흐, 뒤흐 뚜우뜨 라아 뷔이어
사랑의 기쁨은 한 순간 뿐이나
사랑의 슬픔은 일생을 가네

④Tant que cette eau coulera doucement
Vers ce ruisseau qui borde la prairie,
떠엉 끄어 세뜨어 오 뚜울레라 두우서멍
베흐 서어 휘이쏘오 끼이 보오호더 라아 쁘레히이

이 물이 천천히 흘러, 초원으로 흐르는 시내로 가듯

⑤"Je t'aimerais" Te répétait Sylvie

즈어 때애머라이, 떠어 레에뻬때애 실뷔이
널 사랑할게 라고 당신이 실뷔에게 말했지

⑥L'eau coule encore
Elle n'a pas changé pourtant.

로우 꾸울러 엉꼬흐
엘 나아 빠 샤앙제에 뿌어떠엉
물은 아직 그대로 흐르지만 그녀는 변해버렸네

Plaisir d'amour Ne dure qu'un moment
Chagrin d'amour Dure toute la vie

쁠레지어 다아무흐. 너 뒤르 꺄앙 모오머엉
샤아그랑 다아무흐 뒤흐 뚜우뜨 라아 뷔이어
사랑의 기쁨은 한 순간 뿐이나
사랑의 슬픔은 일생을 가네

[해설]

①Plaisir d'amour Ne dure qu'un moment
Chagrin d'amour Dure toute la vie.

쁠레지어 다아무흐, 너 뒤르 꺄앙 모오머엉
샤아그랑 다아무흐, 뒤흐 뚜우뜨 라아 뷔이어
사랑의 기쁨은 한 순간 뿐이나
사랑의 슬픔은 일생을 가네

Plaisir 즐거움, d'amour 사랑의, de + amour(사랑).

Ne 부정의 일부, ne...que 구조에서 오직~인, dure는 동사durer (지속하다) 3인칭 단수현재형. qu'u 오직 한~. que + un (하나).

moment 순간. qu'un moment 오직 한 순간, Chagrin 슬픔, toute 전체의, 모든, la vie 인생, 삶.

●동사 durer 현재시제 (Présent) 변화:

je dure	nous durons
tu dures	vous durez
il/elle/on dure	ils/elles durent

②Tu m'as quittée pour la belle Sylvie.

뛰 마아 끼이떼 뿌어 라 벨르 실뷔어
당신은 예쁜 실뷔를 위해 나를 떠났네

Tu 너, m'는 Je(나)의 대명사 me의 축약형, 나를 (여기서는 직접목적어대명사). as는 동사 avoir (가지다)의 2인칭 현재형, 여기서는 tu as quittée (너는 떠났다)로 복합과거, quittée 동사 quitter (떠나다, 헤어지다)의 과거분사형. 대상이 여성이므로 분사형에 e를 덧붙임. m'as quittée 나를 떠났다. pour 때문에, la belle 미녀.

●동사 quitter 현재시제 (Présent) 변화:

je quitte	nous quittons
tu quittes	vous quittez
il/elle/on quitte	ils/elles quittent

③Elle te quitte pour un autre amant.
엘러 떠어 끼이뜨 뿌우어 엉 오트흐 아멍
그녀는 다른 사랑을 찾아 당신을 떠나네

Elle 그녀, Tu(너)의 대명사 te 너를 (직접목적어대명사), quitte 동사 quitter (떠나다, 헤어지다)의 2인칭 단수현재형. pour 때문에. un autre 다른, amant 연인(남성형).

④Tant que cette eau coulera doucement
vers ce ruisseau qui borde la prairie,
떠엉 끄어 세뜨어 오 뚜울레라 두우서멍
베흐 서어 휘이쏘오 끼이 보오흐더 라아 쁘레히이
이 물이 천천히 흘러, 초원으로 흐르는 시내로 가듯

Tant que ~할 때까지, cette 지시형용사, 이것 (여성형), eau 물, coulera는 동사couler(흐르다)의 단순미래형. doucement 천천히, vers ~을 향해, ce 지시형용사, 이것 (남성형), ruisseau 시냇물, qui 관계대명사로 주어역할, 그것이.
borde는 동사 border (가장자리를 따라 있다)의 3인칭 단수현재.
la prairie 초원.

●동사 couler 현재시제 (Présent) 변화:

je couler	nous coulons
tu coulers	vous coulez
il/elle/on coule	ils/elles coulent

●동사 couler 미래시제 (Futur) 변화:

je coulerai | nous coulerons
tu couleras | vous coulerez
il/elle/on coulera | ils/elles couleront

●동사 border 현재시제 (Présent) 변화:

je borde | nous bordons
tu bordes | vous bordez
il/elle/on borde | ils/elles bordent

⑤"Je t'aimerais" Te répétait Sylvie

즈어 때애머라이, 떠어 레에뻬때애 실뷔이
"널 사랑할게" 라고 당신이 실뷔에게 계속 말했지

Je 나, **t'** 는 **te**의 축약형, 너를 (직접목적대명사). **aimerais** 동사 **aimer** (사랑하다)의 조건법 현재형. **Te** 너에게 (간접목적대명사), **répétait**는 동사 **répéter** (반복하다)의 반과거시제형.

●동사 aimer 현재시제 (Présent) 변화:

je aime	nous aimons
tu aimes	vous aimez
il/elle/on aime	ils/elles aiment

●동사 répéter 현재시제 (Présent) 변화:

je répète	nous répétons
tu répètes	vous répétez
il/elle/on répète	ils/elles répètent

8 Dans le même wagon

덩 러 메므 바공/ 사랑은기차를 타고

Marjorie Noël (1945-2000)

①Nous voyageons dans le même wagon
Tous les deux (Tous les deux)
누 부아야종 덩 러 메에므 바공
뚜 레 드어 (뚜 레 드어)
우린 같은 기차를 타고 여행을 가요.
둘이서 (둘이서)

②Et nous allons dans la même direction
Tous les deux (Tous les deux)
에 누 잘롱 덩 라 메므 디헥시옹
뚜 레 드어 (뚜 레 드어)
또 우린 같은 방향이네요
둘이서 (둘이서

③Mais moi, je ne te connais pas
Et toi, tu ne me connais pas
매애 무아, 즈 너 떠 꼬네 빠아
에 뚜아, 뛰 너 머 꼬네 빠
하지만 난 당신을 모르고,
당신 또한 날 알지 못해요

④Pourtant dans peu de temps ça changera
뿌어떵 덩 빼 드 떠엉 싸 샹줘라
하지만 곧 바뀔거예요

⑤Car tout à l'heure dans le même wagon

Tous les deux (Tous les deux)
까 뚜우 따아레어 덩 러 매므 바공
뚜 레 드어 (뚜 레 드어)
왜냐면 방금 둘이 같은 기차 안에서
둘이서 (둘이서)
⑥Tu m'as souri et tu as cherché mon nom
Dans mes yeux (Dans mes yeux)
뛰 마아 수리 에 뛰 아 쉐흐쉐 몽 농
덩 메 져어 (덩 매 져어)
당신은 내게 미소 짖고 또 내 이름을 물었으니까요
내 눈을 바라보며 (내 눈을 바라보며)
⑦Bientôt dans des bruits de tonnerre
비양또오 덩 데 브뤼 드 또오네흐
곧 천둥이 울리면
⑧Nos cœurs ne pourront plus se taire
노 꽤흐 너 뿌우롱 쁘뤼 서 때흐
우리 마음은 더 이상 가만히 있을 수 없어요
⑨De tout le train c'est toi que je préfère
드 뚜 르 트헝 쎄 뚜아 끄 즈 프레페르
온 기차 안에서 내가 당신을 가장 좋아하니까
Nous voyageons dans le même wagon
Tous les deux (Tous les deux)
누 부아야죵 덩 러 메에므 바공
뚜 레 드어 (뚜 레 드어)
우린 같은 기차를 타고 여행을 가요.
둘이서 (둘이서)
⑩En arrivant je crois bien que nous serons
Plus heureux (Plus heureux)
엉 아리벙 즈 크루아 비앙 끄 누 세롱

쁠뤼 에어
도착하면 우린 더 행복해질 거라고 생각해요
⑪Et si tu penses comme moi
Au bout de ce voyage-là
에 씨 뛰 뺑스 꼬머 무아
오 부우 드 써 부아야쥐 라
이 여행이 끝날 즈음 당신 또한 나 같이 생각하면
⑫L'amour viendra nous prendre entre ses bras
라아무르 비양드라 누 프홍드흐 엉뜨흐 쎄 브하
사랑은 우리 품에 안겨 올거예요
Et si tu penses comme moi
Au bout de ce voyage-là
에 씨 뛰 뺑스 꼬머 무아
오 부우 드 써 부아야지 라
이 여행이 끝날 즈음 당신 또한 나 같이 생각하면
L' amour viendra nous prendre entre ses bras
라아무르 비앙드라 누 프홍드흐 엉뜨흐 쎄 브하
사랑은 우리 품에 안겨 올거예요
Nous voyageons dans le même wagon
Tous les deux (Tous les deux)
누 부아야죵 덩 러 메에므 바공
뚜 레 드어 (뚜 레 드어)
우린 같은 기차를 타고 여행을 가요.
둘이서 (둘이서)
Et nous allons dans la même direction
Tous les deux (Tous les deux)
에 누 잘롱 덩 라 메므 디헥시옹
뚜 레 드어 (뚜 레 드어)
또 우린 같은 방향이네요

둘이서 (둘이서)

[해설]

우리 둘 다 같은 객차에서 여행하고 있다.

Nous 1인칭 복수형, 우리. voyageons 동사 voyager(여행하다)의 1인칭 복수현재형, dans ~에서, le même wagon 같은 객차, tous les deux 두 사람 모두.

●동사 voyager 현재시제 (Présent) 변화:

je voyage	nous voyageons
tu voyages	vous voyagez
il/elle/on voyage	ils/elles voyagent

②Et nous allons dans la même direction
Tous les deux (Tous les deux)
에 누 잘롱 덩 라 메므 디헥시옹
뚜 레 드어 (뚜 레 드어)
또 우린 같은 방향이네요
둘이서 (둘이서

그리고 우리는 같은 방향으로 간다.

Et 그리고, nous 1인칭 복수인칭대명사, 우리. allons 동사 aller (가다)의 1인칭 복수현재형. dans~에서, la même direction 같은 방향. dans la même direction 같은 방향으로.

③Mais moi, je ne te connais pas
Et toi, tu ne me connais pas.
매애 무아, 즈 너 떠 꼬네 빠아
에 뚜아, 뛰 너 머 꼬네 빠
하지만 난 당신을 모르고,
당신 또한 날 알지 못해요

하지만 나는 너를 모르고 또 너는 나를 모른다.

Mais 하지만, moi 1인칭 단수형 인칭대명사 강조형, 나. je 나는. ne ... pas 부정어, ~이 아니다. te 2인칭 단수형 직접목적어 인칭대명사, 너를. connais 동사 connaître(알다)의 1인칭 단수현재형. Et 그리고, toi 2인칭 단수형 인칭대명사 강조형, 너는. tu 2인칭 단수형 인칭대명사, 너는. me 1인칭 단수형 직접목적어 인칭대명사, 나를.

moi와 toi는 주어를 강조. je ne te connais pas 나는 너를 모른다, tu ne me connais pas 너는 나를 모른다.

●동사 connaître 현재시제 (Présent) 변화:

je connais	nous connaissons
tu connais	vous connaissez
il/elle/on connaît	ils/elles connaissent

④Pourtant dans peu de temps ça changera.
뿌어떵 덩 뻐 드 떠엉 싸 샹줘라
하지만 곧 바뀔거예요

그러나 곧 그것은 변할 것이다.

Pourtant 그럼에도 불구하고, **dans** ~안에, **peu de temps** 짧은 시간, **ça** 중성 단수형 인칭대명사, 그것, 즉 변화를 겪을 대상을 뜻함. **changera** 동사 **changer** (변하다)의 **3**인칭 단수미래형.

●동사 **changer** 현재시제 **(Présent)** 변화:

je change	nous changeons
tu changes	vous changez
il/elle/on change	ils/elles changent

●동사 **changer** 미래시제 **(Futur)** 변화:

je changerai	nous changerons
tu changeras	vous changerez
il/elle/on changera	ils/elles changeront

⑤Car tout à l'heure dans le même wagon
Tous les deux (Tous les deux)
까 뚜우 따아레어 덩 러 매므 바공
뚜 레 드어 (뚜 레 드어)
왜냐면 방금 둘이 같은 기차 안에서
둘이서 (둘이서)

왜냐하면 조금 전에 같은 객차에서

Car 왜냐하면, **tout à l'heure** 조금 전에, 문맥에 따라 과거나 미래를 가리킬 수 있다. 여기서는 과거. **heure**는 시각, 시간. **dans**

~에서, le même wagon 같은 객차.

⑥Tu m'as souri et tu as cherché mon nom
Dans mes yeux (Dans mes yeux)
뛰 마아 수리 에 뛰 아 쉐흐쉐 몽 농
덩 메 져어 (덩 매 져어)
당신은 내게 미소 짖고 또 내 이름을 물었으니까요
내 눈을 바라보며 (내 눈을 바라보며)

Tu 너, **m'**는 **me**의 축약, **1**인칭 단수형 간접목적어 인칭대명사, 나에게. **as** 동사 **avoir** (가지다, 취하다)의 **2**인칭 단수현재형. 복합과거를 만든다. ~했다. **souri**는 동사 **sourire** (미소짓다)의 과거 분사. **Tu m'as souri** 너는 나에게 미소 지었다.

et 그리고, **tu** 너, **as** 동사 **avoir**의 **2**인칭 단수현재형. **cherché** 동사 **chercher** (찾다)의 과거분사. **mon** 소유 형용사, 나의. **nom** 이름. **tu as cherché mon nom** 너는 내 이름을 찾았다.

dans ~안에, **mes** 복수형 소유형용사, 나의. **yeux** 눈. **dans mes yeux** 내 눈에서.

●동사 **sourire** 현재시제 (**Présent**) 변화:

je souris	nous sourions
tu souris	vous souriez
il/elle/on sourit	ils/elles sourient

●동사 **sourire** 복합과거시제 (**Passé composé**)변화:

j'ai souri	nous avons souri

tu as souris vous avez souri
il/elle/on a souri ils/elles ont souri

●동사 chercher 현재시제 (Présent) 변화:

je cherche nous cherchons
tu cherches vous cherchez
il/elle/on cherche ils/elles cherchent

●동사 chercher 복합과거시제 (Passé composé) 변화:

j'ai cherché nous avons cherché
tu as cherché vous avez cherché
il/elle/on a cherché ils/elles ont cherché

⑦Bientôt dans des bruits de tonnerre

비양또오 덩 데 브뤼 드 또오네흐
곧 천둥이 울리면

곧 천둥 소리 속에서

Bientôt 곧, dans ~안에, des bruits 소리, tonnerre 천둥.

⑧Nos cœurs ne pourront plus se taire

노 꽤흐 너 뿌우롱 쁠뤼 서 때흐
우리 마음은 더 이상 가만히 있을 수 없어요

우리의 마음은 더 이상 침묵할 수 없을 것이다.

Nos 소유 형용사, 1인칭 복수형, 우리의. cœurs 마음, 심장. ne ... plus 부정어. 더 이상 ~않다. pourront 동사 pouvoir(할 수 있다)의 3인칭 복수 미래형. se 3인칭 복수형 재귀 대명사, 자신을, 동사 taire (침묵하다) 와 함께 사용.

●동사 pouvoir 현재시제 (Présent) 변화:

je peux	nous pouvons
tu peux	vous pouvez
il/elle/on peut	ils/elles peuvent

●동사 pouvoir 미래시제 (Futur) 변화:

je pourrai	nous pourrons
tu pourras	vous pourrez
il/elle/on pourra	ils/elles pourront

●동사 taire 현재시제 (Présent) 변화:

je tais	nous taisons
tu tais	vous taisez
il/elle/on tait	ils/elles taisent

⑨De tout le train c'est toi que je préfère

드 뚜 르 트헝 쎄 뚜아 끄 즈 프레페르
온 기차 안에서 내가 당신을 가장 좋아하니까

기차 안에서 당신이 제일 좋다.

De tout le train 전체 기차, de는 of 또는 from, tout le train은 전체 기차. c'est 이것은, toi 당신, que je préfère 내가 선호하는. que는 that 또는 whom, préfère는 동사 préférer (선호하다)의 1인칭 단수 현재형.

●동사 préférer 현재시제 (Présent) 변화:

je préfère	nous préférons
tu préfères	vous préférez
il/elle/on préfère	ils/elles préfèrent

⑩En arrivant je crois bien que nous serons Plus heureux (Plus heureux)

엉 아리벙 즈 크루아 비앙 끄 누 세롱
쁠뤼 에어
도착하면 우린 더 행복해질 거라고 생각해요

도착할 때 우리는 더 행복할 것이라고 생각해요.

En arrivant 도착할 때, en은 at 또는 upon, arrivant은 도착하는, 동사 arriver (도착하다)의 현재분사형. je crois bien que 나는 확실히 믿어요. crois는 동사 croire (믿다, 생각하다)의 1인칭 단수 현재. bien que는 그것을 잘~할 것이다. Nous serons 우리는 ~될 것이다, serons은 will be. être 동사의 1인칭 복수 미래형. Plus heureux 더 행복해질 거라고 생각해요. plus는 more, heureux는 행복한.

●동사 croire 현재시제 (Présent) 변화:

je crois	nous préférons
tu préfères	vous préférez
il/elle/on préfère	ils/elles préfèrent

●동사 être 미래시제 (Futur) 변화:

je serai	nous serons
tu seras	vous serez
il/elle/on sera	ils/elles seront

⑪Et si tu penses comme moi
Au bout de ce voyage-là
에 씨 뛰 뺑스 꼬머 무아
오 부우 드 써 부아야쥐 라
당신 또한 나 같이 생각하면
이 여행이 끝날 즈음

만약 당신이 저와 같은 생각을 한다면 이 여행이 끝날 때 (사랑이 우리 품 안에 안기게 될 거예요)

Et si 그리고 만약에, tu penses comme moi 당신이 저와 같은 생각을 한다, penses는 동사 penser (생각하다)의 2인칭 단수형. comme moi는 나와 같이, 나처럼. Au bout de ce voyage-là 이 여행이 끝날 때. ce voyage-là는 이 여행.

●동사 penser 현재시제 (Présent) 변화:

je pense	nous pensons
tu penses	vous pensez
il/elle/on pense	ils/elles pensent

⑫L'amour viendra nous prendre entre ses bras

라아무르 비양드라 누 프홍드흐 엉뜨흐 쎄 브하
사랑은 우리 품에 안겨 올거예요

사랑이 우리의 품에 안기게 될 거예요.

L'amour 사랑, viendra 올 것이다, 동사 venir (오다)의 미래시제. nous 우리, prendre 잡다 또는 안기다. entre ses bras 팔 사이에.

●동사 venir 현재시제 (Présent) 변화:

je viens	nous venons
tu viens	vous venez
il/elle/on vient	ils/elles viennent

●동사 venir 미래시제 (Futur) 변화:

je viendrai	nous viendrons
tu viendras	vous viendrez
il/elle/on viendra	ils/elles viendront

●동사 prendre 현재시제 (Présent) 변화:

je prends	nous prenons
tu prends	vous prenez
il/elle/on prend	ils/elles prennent